CW00919014

¿Cómo se dice....:

A NEW VOCABULARY FOR GCSE SPANISH

Paul Newbury

Hodder & Stoughton

A MEMBER OF THE HODDER HEADLINE GROUP

Acknowledgements: Gracias a mi amigo sevillista José Luis Maldonado por su especial colaboración y a mi diccionario ambulante, mi mujer, María Joaquina Alarcón García-Rubio.

A catalogue record for this title is available from The British Library

ISBN 0 340 65552 6

First published 1998
Impression number   10   9   8   7   6   5   4
Year   2003

Typeset by Wearset, Boldon, Tyne and Wear.
Printed in Great Britain for Hodder & Stoughton Educational, a division of Hodder Headline, 338 Euston Road, London NW1 3BH by Cox & Wyman, Reading, Berks.

Contents

CONTENTS

Introduction

¿Cómo se dice. . .? is intended to help you to prepare for your examinations in Spanish by providing a comprehensive listing of words and phrases. You can use the book as part of your course of study (particularly when preparing for written or oral work), and as a revision aid when the exams approach.

The organisation of the book

This edition follows the National Curriculum's guidelines on the different Areas of Experience required for language study at this level. The vocabulary is set out in short, manageable sections, within clearly defined topic areas, to enable you to organise your learning of lists of words with greater efficiency.

Furthermore, you will be able to use the book as a reference point for areas of Spanish study at this level; for written work, simply look up the relevant section and you should find most of the words you need, thus reducing your dependence on a dictionary.

Likewise, when presenting an oral topic you can base your study on words listed here.

Indeed, it will be useful when you are in Spain. I have provided a wide range of vocabulary building exercises, which I hope you will enjoy; some of them involve pair work which in turn will encourage you to practise your oral Spanish. There is an answer section at the back of the book so that you can check you have got all the right answers. No cheating allowed!

All adjectives having a different feminine form are quoted in both masculine and feminine. Similarly, nouns which can have two genders, such as those referring to professions are listed in both the masculine and feminine forms. All irregular and reflexive verbs are also shown in the first person as well as the infinitive.

Te toca vocabulary practice

These regular vocabulary practice activities will help you to test yourself, and will encourage you to scan the preceding lists looking for words that do not come to you straight away. The process of looking over these words will help you to remember them, just as an advertiser gets you to remember a message by showing it to you rapidly over and over again. The answers to the practice activities are given at the back of the book for you to check. You could also devise your own activities to test yourself – or a friend.

GCSE candidates

The GCSE examination boards specify a minimum core vocabulary required for Foundation level, and *¿Cómo se dice. . .?* provides the core vocabulary requirements of all the GCSE boards. As these core requirements vary from board to board, Foundation vocabulary has not been artificially separated or highlighted. And as Foundation-level examinations will in any case contain a certain percentage of vocabulary beyond this defined core your best strategy for success is to absorb as much vocabulary as you can. . .

Learning vocabulary

You will not need to know all the words in this book, but if you can aim to learn as many as possible, you will be well on the way to giving yourself the best opportunity to reach the highest possible level in your Spanish exam. Although in some examinations you may be allowed to refer to a dictionary, when you are listening or speaking you cannot constantly look up words – not only do you waste valuable time, you may also – in the heat of the moment – choose the wrong word! To avoid this happening, here are some tips for effective vocabulary learning. . .

* Go somewhere you can find peace and quiet. Other noises, especially talking, can be very distracting.
* Little and often. Don't try to learn huge amounts in long, intense sessions or your brain will overload! Every time you return to a section of vocabulary it will become more and more familiar. Six five-minute sessions are far more valuable than a half-hour stretch.
* It often helps to make up a sentence so that a word has a context – you have actually made the word work for you by making it convey information. Just a short sentence will do.
* *Saying* a word or phrase aloud (even in a whisper) means that you are *hearing* it as well as seeing it, and so has two routes into your brain.
* Writing vocabulary out helps many people – that's a third route into the brain.
* Always learn the gender with the noun, and practise these by including them in sentences.
* Learn the words Spanish to English first. Cover up the English words to test yourself, then try the other way round.

* Look for resemblances to other words in English, French or any other languages you are learning. Even if the similarities are pure coincidences, they can still help.
* Try learning with a friend who is working towards the same exam. Test each other, taking it in turns from Spanish to English, and then from English to Spanish.
* Revise regularly what you have already learned, otherwise your hard work will easily be lost.
* Don't be put off if you have forgotten much of what you thought you had learned. Photographic memories are very rare indeed!

And finally, remember that it is very difficult to communicate effectively in Spanish or indeed to do well in a Spanish exam if you do not have the words ready. Imagine having to look up the fingering for every other note when playing a piece of music. As in music, the hard work you put into learning things will give you far more control and a greater sense of achievement. Remember too that you need both language skills and the raw material called vocabulary to achieve success. Your teacher and your course books are there to provide language skills, this book contains the raw material, carefully sorted and labelled. It will serve you best if you open it often!

¡Suerte!

Paul Newbury

A: Everyday Activities

1

El tiempo y los números

Time and numbers

a Los números

Numbers

cero	0	veintisiete	27
uno, una	1	veintiocho	28
dos	2	veintinueve	29
tres	3	treinta	30
cuatro	4	treinta y uno	31
cinco	5	cuarenta	40
seis	6	cuarenta y dos	42
siete	7	cincuenta	50
ocho	8	cincuenta y siete	57
nueve	9	sesenta	60
diez	10	setenta	70
once	11	ochenta	80
doce	12	noventa	90
trece	13	cien	100
catorce	14	ciento dos	102
quince	15	ciento cincuenta	150
dieciséis	16	doscientos/as	200
diecisiete	17	doscientos treinta y siete	237
dieciocho	18	trescientos/as	300
diecinueve	19	cuatrocientos/as	400
veinte	20	quinientos/as	500
veintiuno	21	seiscientos/as	600
veintidós	22	setecientos/as	700
veintitrés	23	ochocientos/as	800
veinticuatro	24	novecientos/as	900
veinticinco	25	mil	1.000
veintiséis	26	un millón	1.000.000

b Los números ordinales

Ordinal numbers

primero/a	first	sexto/a	sixth
segundo/a	second	séptimo/a	seventh
tercero/a	third	octavo/a	eighth
cuarto/a	fourth	noveno/a	ninth
quinto/a	fifth	décimo/a	tenth

un millón (de)	a million
dos millones de habitantes	two million inhabitants
la cifra	number
sumar	to add
multiplicar	to multiply
dividir	to divide
restar	to subtract
calcular	to calculate
el porcentaje	percentage

Te toca. 1

¡Ahora un poco de aritmética! Escribe las respuestas completas utilizando palabras no cifras.

Now a little arithmetic! Write the answers out in words.

Ejemplo: $11 + 4 \times 2 =$ treinta

1 $3 \times 5 =$
2 $21 \times 3 =$
3 $150 \div 2 =$
4 $(1000 - 200) \div 8 =$
5 $(425 + 75 - 100) \times 10 =$

6 $14 + 26 =$
7 $67 - 11 =$
8 $4 \times 40 =$
9 $37 + 29 =$
10 $8 \times 1000 =$

c Los días de la semana / Days of the week

el día	day
el lunes	Monday
el martes	Tuesday
el miércoles	Wednesday
el jueves	Thursday
el viernes	Friday
el sábado	Saturday
el domingo	Sunday
la semana	week
del martes en ocho días	a week on Tuesday
quince días	fortnight
el lunes . . .	on Monday . . .
los lunes . . .	on Mondays . . .

el fin de semana	weekend
los fines de semana	at weekends
hoy	today
ayer	yesterday
anoche	last night
anteanoche	the night before last
anteayer	the day before yesterday
hace tres días	three days ago
el lunes pasado	last Monday
la semana pasada	last week
mañana	tomorrow
pasado mañana	the day after tomorrow
mañana por la mañana	tomorrow morning
mañana por la tarde	tomorrow afternoon/evening
mañana por la noche	tomorrow night
al día siguiente	on the following day
la semana que viene	next week
desde hace	for/since (+ time expression)
vivo en Londres desde hace ocho años / **hace ocho años que vivo en Londres**	I've lived in London for eight years

Te toca. 2

Elige una palabra o una frase de cada columna para formar una frase completa.

Choose a word or phrase from each column to make a full sentence.

Ejemplo: *Los miércoles suelo ir a la piscina.*

el lunes	iré	al cine
los miércoles	fui	una bicicleta
ayer	voy a ir	a ir al zoo
mañana	voy	jugar al tenis
los sábados	suelo ir	al baloncesto
anoche	salgo	a la piscina ➡

pasado mañana	saldré	de compras
la semana que viene	salí	a la discoteca
el domingo pasado	me gusta	con mis amigos/as
hace un mes	me gustaría	con mi ordenador
	jugué	
	compré	

d Los meses — Months

el mes	month
enero	January
febrero	February
marzo	March
abril	April
mayo	May
junio	June
julio	July
agosto	August
setiembre, septiembre	September
octubre	October
noviembre	November
diciembre	December

¿qué día es hoy? / ¿a cuántos estamos?	what's the date today?
hoy es el uno/primero de septiembre	it's the first of September today
estamos a cinco de junio	it's the fifth of June
en enero	in January
el mes pasado	last month
este mes	this month
el mes que viene	next month

e Las estaciones — Seasons

la estación	season (spring, summer etc.)
la temporada	season (crops, tourism, sports)
la primavera	spring
el verano	summer
el otoño	autumn
el invierno	winter
en invierno/verano	in winter/summer

f Los años — Years

el año	year
el año pasado	last year
este año	this year
el año que viene	next year
la década	decade
mil novecientos noventa	1990
en los años noventa	in the 1990s
en mil novecientos noventa	in 1990
el siglo	century
el siglo veintiuno	the 21st century
el año dos mil	the year 2000
la época	era, period

Te toca. 3

¿En qué mes tienen lugar estas fiestas?

In which month do the following festivals take place?

Ejemplo: *El día más corto del año es en diciembre.*

a *el día más largo del año*
b *Navidad*
c *Reyes*
d *el día de San Valentín*
e *la Nochevieja*

f *la Nochebuena*
g *el Año Nuevo*
h *el día de la Hispanidad (12/10)*
i *el día de Todos los Santos (1/11)*

g ¿Qué hora es? — What time is it?

¿qué hora es?	what time is it?
¿qué hora tienes?	what time do you make it?
es la una	it's one o'clock
son las dos	it's two o'clock
son las cuatro y cuarto	it's a quarter past four
son las cinco y veinticinco	it's twenty-five past five
son las seis y media	it's half past six
son las siete menos veinte	it's twenty to seven
son las ocho menos cuarto	it's a quarter to eight

h ¿A qué hora? At what time?

¿a qué hora es el partido?	what time is the match?
¿a qué hora empieza la película?	what time does the film start?
a la una	at one o'clock
a las dos	at two o'clock
a las tres y cinco	at five past three
a las tres de la madrugada	at three o'clock in the morning
a las ocho de la mañana	at eight o'clock in the morning
a las cinco de la tarde	at five o'clock in the afternoon
a las ocho de la tarde	at eight o'clock in the evening
a las diez de la noche	at 10 o'clock at night
a las diez en punto	at 10 o'clock precisely
a eso de las once	at about 11 o'clock
a las tres y pico	at just after three o'clock
a mediodía	at midday
a medianoche	at midnight
la hora	hour
media hora	half an hour
un cuarto de hora	a quarter of an hour
un minuto	a minute
un segundo	a second
el reloj (de pulsera)	(wrist)watch
el reloj (de pared)	clock
las manecillas	hands
andar bien	to keep good time
atrasar	to be slow
adelantar	to be fast

Te toca. 4

¿Qué hora es? Da una respuesta para cada reloj. Escribe tus respuestas utilizando palabras.

What time is it? Give an answer for each clock. Write your answers out in full.

Ejemplo: Es la una y veinte.

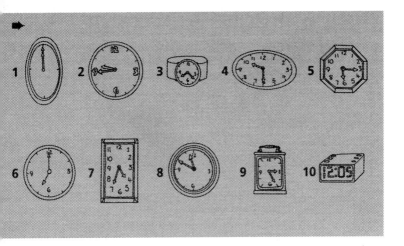

¡ ¿Cuándo?   When?

el alba (f)	dawn, daybreak
el amanecer	dawn, daybreak
al amanecer	at dawn, daybreak
la madrugada	early morning
la mañana	morning
por la mañana	in the morning
la tarde	afternoon/evening
el atardecer	dusk, early evening
el anochecer	nightfall
la noche	night
por la noche	at night

tarde	late
temprano	early
ser de día	to be daytime
ser de noche	to be night-time

el futuro	future
el presente	present
el pasado	past
cuando	when
mientras	while
a medida que	as
mientras que	whereas

mientras tanto / entretanto	meanwhile
antes	before
antes de (hacer algo)	before (doing sth)
después	after, afterwards
después de (hacer algo)	after (doing sth)
en cuanto / tan pronto como	as soon as
durante	during
a principios de enero	at the beginning of January
a mediados de	in the middle of
a fines de / a finales de	at the end of
a la vez (que)	at the same time (as)
actualmente	at the moment
hoy día	nowadays
de hoy en una semana	in a week's time

j ¿Cada cuánto? How often?

siempre	always
continuamente	continuously
muchas veces	often, many times
a menudo	often
normalmente	normally
generalmente / por lo general	generally
a veces / algunas veces	sometimes, occasionally
rara vez / pocas veces	seldom, rarely
una vez	once
dos veces	twice
una vez más / otra vez	again
cada (día)	each, every (day)
casi	almost, nearly
solamente / sólo	only
nunca / jamás	never

de pronto **de repente** }	suddenly
en seguida **en el acto** }	straight away
inmediatamente	immediately
entonces	then, and so
fue entonces que . . .	it was then that . . ./that was when . . .

una vez por semana	once a week
dos veces al mes	twice a month
de vez en cuando	from time to time
diariamente **cada día** }	daily, every day
cotidiano/a	daily
la rutina cotidiana	daily routine
todos los días	every day
todas las tardes	every afternoon
todas las noches	every evening/night
semanal	weekly (*adj*)
mensual	monthly (*adj*)
excepto los domingos **menos los domingos** }	except (on) Sundays

Te toca. 5

Contesta a las siguientes preguntas:

Answer the following questions:

Ejemplo: ¿Cada cuánto vas al cine? = Voy al cine una vez por semana/una vez al mes.

1 ¿Cada cuánto miras la televisión?
2 ¿Cada cuánto sales con tus amigos?
3 ¿Cada cuánto vas a la playa?
4 ¿Cada cuánto vas a Australia?
5 ¿Cada cuánto haces tus deberes?
6 ¿Cada cuánto practicas un deporte?

2 La vida del hogar   Home life

a Antes de ir al colegio   Before going to school

antes	before
antes de (hacer algo)	before (doing sth)
el despertador	alarm clock
sonar (sueno)	to ring/sound
estar (estoy) cansado/a	to be tired
bostezar	to yawn
el bostezo	yawn
despertarse (me despierto)	to wake up
levantarse (me levanto)	to get up
¿a qué hora te levantas?	what time do you get up?
me levanto a las siete	I get up at seven o'clock
lavarse (me lavo)	to wash
lavarse (me lavo) el pelo	to wash one's hair
peinarse (me peino)	to comb one's hair
cepillarse (me cepillo) el pelo	to brush one's hair
lavarse (me lavo) los dientes	to brush one's teeth
afeitarse (me afeito)	to shave
maquillarse (me maquillo)	to put one's make-up on
ducharse (me ducho)	to have a shower
bañarse (me baño)	to have a bath
vestirse (me visto)	to dress (oneself)
ponerse (me pongo) el uniforme	to put on one's uniform
desayunar	to have breakfast
el desayuno	breakfast
preparar mi mochila	to prepare my schoolbag
poner (pongo) mis libros en mi cartera	to put my books in my schoolbag
hacer (hago) los bocadillos para el almuerzo	to make the sandwiches for lunch

Revising the time expressions on pages 5–9 will help you to talk about your home life.

b Me voy al colegio   I'm off to school

¿a qué hora sales de casa?	what time do you leave home?
salir (salgo) de casa/del piso	to leave the house/the flat
salgo de casa a las ocho	I leave home at eight o'clock

¿cómo vas al colegio?	how do you get to school?
ir (voy) andando a pie	to walk
en bicicleta/bici	by bicycle/bike
en autobús	by bus
en coche	by car
en metro	on the underground
en tren	by train
me lleva mi madre en el coche	my mother takes me by car
llevar (a alguien)	to take (someone)
el viaje	journey
durar	to last
el viaje dura una hora	the journey lasts an hour/is an hour long
tardar media hora en llegar	to take half an hour to arrive
tardo cuarenta minutos en llegar al colegio	it takes me forty minutes to get to school

Te toca. 6

¿Qué haces por las mañanas? Escribe frases explicando lo que haces.

What do you do in the morning? Write sentences describing what you do.

Ejemplo: *Me despierto.*

c Después del colegio — **After school**

después	after, afterwards
después de (hacer algo)	after (doing something)
salir (salgo)	to leave, come out
al salir del colegio	on coming out of school, when I finish school
volver (vuelvo) a casa	to return home, go back home
quedarse (me quedo) en el colegio	to stay at school
hacer (hago) actividades en el colegio	to do activities in school
hacer (hago) deporte	to play sport
me recoge mi padre	my father picks me up

d Por la tarde — **In the evening**

la tarde	afternoon, evening
la noche	night
hacer (hago) los deberes / las tareas	to do my homework
aprender para un control	to learn for a test
escribir un ensayo	to write an essay
tengo que preparar un trabajo sobre . . .	I have to write a project on . . .
estudiar	to study
empollar	to swot
leer	to read
mirar la televisión	to watch the television
escuchar música	to listen to music
jugar (juego)	to play
juego con { mi ordenador / un videojuego	I play on my computer / a video game
llamar a un amigo/una amiga	to ring a friend
quedar con amigos/as	to arrange to meet friends
¿dónde quedamos esta noche?	where shall we meet this evening
merendar (meriendo)	to have tea
cenar	to have supper, dinner
ayudar en la casa	to help at home
arreglar mi cuarto	to tidy my room
ordenar	to tidy

ir (voy) a la cama acostarse (me acuesto) }	to go to bed
¿a qué hora te acuestas?	what time do you go to bed?
me acuesto a las once	I go to bed at eleven o'clock
dormirse (me duermo)	to fall asleep, go off to sleep
dormir (duermo)	to sleep
soñar (sueño)	to dream
sueño con (ganar la lotería)	I dream about (winning the lottery)
tener (tengo) un sueño	to have a dream
tener (tengo) una pesadilla	to have a nightmare

e Los fines de semana — Weekends

¿qué haces el fin de semana?	what are you doing at the weekend?
levantarse (me levanto) tarde	to get up late
descansar	to rest
relajarse (me relajo)	to relax
vaguear	to laze about
dormir (duermo) la siesta	to have an afternoon nap/a siesta
pasear	to go for a stroll
ir (voy) a la iglesia	to go to church
ir (voy) a misa	to go to mass
oír (oigo) misa	to hear, go to mass
salir (salgo) con amigos	to go out with friends
ir (voy) al centro	to go into town
al cine	to the cinema
al teatro	to the theatre
ir (voy) de compras	to go shopping
tomar un café	to have a coffee
hacer (hago) deportes	to play sport
jugar (juego)	to play
bailar	to dance
ir (voy) a una discoteca	to go to a disco
ir (voy) a una fiesta	to go to a party
pasarlo bien pasárselo bien }	to have a good time

For other leisure activities see pages 71–83.

trabajar	to work
ganar dinero	to earn money
repartir periódicos	to deliver newspapers

For more vocabulary relating to part-time jobs see page 147.

3 La vida escolar — School life

a Lo que se dice en la clase — Language of the classroom

buenos días	good morning
buenas tardes	good afternoon
pasar lista	to take the register
presente	present
ausente	absent

b Tengo un problema — I have a problem

sentir llegar tarde	to be sorry for arriving late
sentirlo (lo siento)	to be sorry (I'm sorry)
¿por qué llegas tarde?	why are you late?
faltar a clase	to miss school
tengo que ir al dentista/médico	I have to go to the dentist/doctor
estar (estoy) enfermo/a	to be ill
estar (estoy) cansado/a	to be tired
hacer (hago) rabona **hacer (hago) novillos**	to play truant
¿qué ha dicho usted? **¿qué has dicho?**	what did you say?
¿cómo? **¿perdone?**	pardon?
¿qué página es?	which page is it?
comprender **entender (entiendo)**	to understand
por ejemplo	for instance
terminar	to finish
he terminado	I've finished
¿qué hago ahora?	what do I do now?
¿qué hacemos ahora?	what do we do now?

querer (quiero) decir / significar	to mean
¿qué significa esa palabra?	what does that word mean?
¿qué quiere decir *estuche*?	what does *estuche* mean?
¿cómo se dice *computing* en español?	how do you say *computing* in Spanish?
saber	to know
no sé	I don't know

¿has entregado tus deberes?	have you handed in your homework?
no he hecho mis deberes	I haven't done my homework
no he podido hacer mis deberes	I haven't been able to do my homework
tener (tengo) una clase de música	to have a music lesson

se me ha olvidado el cuaderno	I've forgotten my exercise book
no tengo papel	I haven't got any paper
¿me das un folio?	can I have a sheet of paper?
¿me puede prestar un bolígrafo?	can you lend me a pen?
¿alguien me puede prestar una regla?	can anybody lend me a ruler?
pedir (pido)	to ask for something

c Las instrucciones — Instructions

(Note: the singular **tú** form is followed by the plural **vosotros** form in brackets)

siéntate (sentaos)	sit down
levántate (levantaos)	stand up
saca(d) el cuaderno	take out your exercise book(s)
abre (abrid) el libro	open your text book(s)
en la página 22	on page 22
cierra (cerrad) el libro	close the book
deja tu cuaderno / dejad vuestros cuadernos	leave your exercise book(s)

en silencio	in silence
¿quién habla?	who is talking?

¡cállate (callaos)!	shut up, be quiet
¡estate quieto! (¡estaos quietos!)	keep still, be quiet
¡deja(d) de molestar a Juan!	stop annoying Juan
¡venga!	come on
¡vámonos! ¡vamos!	let's go
¡no olvides (olvidéis)!	don't forget
la voz	voice
¡más fuerte!	speak up!
en voz alta	aloud
en voz baja	in a whisper, quietly
sin hacer ruido	without making a noise
enciende (encended) la luz	switch the light on
apaga(d) la luz	switch the light off
mira(d) la televisión	look at the television
ponte (poneos) los auriculares	put your headphones on
escucha(d) la cinta	listen to the tape
habla(d)	speak, talk
explica(d)	explain
discute (discutid)	discuss
pregunta(d) a alguien	ask someone
di (decid) la palabra correcta	say the right word
repite (repetid) las palabras	repeat the words
levanta(d) la mano	put your hand up
lee(d) el texto	read the text
repasa(d) el capítulo 2	revise chapter 2
estudia(d)	study
practica(d)	practise
consulta(d)	consult
compara(d)	compare
escoge(d) elige (elegid)	choose, select
busca(d)	look for
encuentra (encontrad)	find
adivina(d)	guess
haz (haced) el ejercicio	do the exercise
escribe (escribid)	write

apunta(d)	write down
copia(d)	copy
responde (responded)	answer
contesta(d)	answer
describe (describid)	describe
indica(d)	indicate
completar (completa)	to complete (complete)
rellena	fill in
subrayar	to underline
identifica	identify
marcar (marca) con una x	to cross
la equis	the letter x
pon una equis en la casilla	put a cross in the box
ordena ⎫ **pon en orden** ⎭	put in order
coloca las fotos en orden	put the photos in order
emparejar ⎫ **unir** ⎭	to match, to join
empareja(d) ⎫ **une (unid)** ⎭	match, join
hacer (hago) un diálogo	to do a dialogue
hacer (hago) un resumen	to do a summary
trabaja(d) en parejas	work in pairs
en grupos	in groups
con tu compañero/a	with your classmate

d Los tipos de colegio — Types of school

la guardería	crèche, nursery
el jardín de infancia	kindergarten, nursery
la escuela primaria	primary school
la escuela ⎫ **el colegio** ⎭	school
el instituto	secondary school (rough equivalent)
el internado	boarding school
la escuela de pago	fee-paying school
la escuela privada	private school
la escuela pública del Estado	state school

e ¿En qué curso estás? — **What year are you in?**

estar (estoy) en ...	to be in ...
la enseñanza	teaching, education
la Enseñanza Primaria	primary education
la Enseñanza Secundaria Obligatoria	compulsory secondary education
primero de E.S.O.	year 8
segundo de E.S.O.	year 9
tercero de E.S.O.	year 10
cuarto de E.S.O.	year 11

la Enseñanza Secundaria de Bachillerato	advanced secondary education
primero de E.S.B.	year 12 lower sixth
segundo de E.S.B.	year 13/upper sixth
C.O.U. (Curso de Orientación Universitaria)	year 13/upper sixth (special final year course for university candidates)
la selectividad	university entrance exam

f Distribución del colegio — **Areas of the school**

entrar en	to enter, go into
la entrada	entrance
el aula (f)	classroom
la clase	
el salón de actos	main hall
el comedor	dining hall
el bar	snack bar
la sala de profesores	staffroom
el pasillo	corridor
el patio	playground, yard
la biblioteca	library
el laboratorio (de biología)	(biology) laboratory
el taller de arte	art room
el taller de manualidades	workshop
la clínica	sick bay
los servicios	toilets

el gimnasio	gymnasium
la piscina	swimming pool
los vestuarios	changing-rooms

el campo de deportes	sports ground
de fútbol	football pitch
la pista de atletismo	athletics track

Te toca. 7

Empareja los sitios con sus respectivos símbolos.

Match the symbols to the right parts of the school.

Ejemplo: = *el campo de deportes*

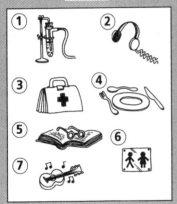

(a) la biblioteca
(b) **los servicios**
(c) **el laboratorio**
(d) la sala de música
(e) el laboratorio de idiomas
(f) *el comedor*
(g) *la clínica*

g En el aula   In the classroom

la pizarra	blackboard, whiteboard
la tiza	chalk
el póster	poster
el proyector	projector
el retroproyector	overhead projector
la mesa	table, desk
la mesa de trabajo el pupitre	desk
la silla	chair
el libro	book
el libro de texto	textbook
el diccionario	dictionary

la ficha de actividades	worksheet
la fotocopia	photocopy
fotocopiar	to photocopy

h En la cartera — In my school bag

la bolsa	bag
la cartera	school bag, satchel, briefcase
la mochila	school bag; rucksack
la agenda	diary
la calculadora	calculator
el cuaderno	exercise book
los apuntes	notes
el folio	sheet of paper
el papel	paper
el estuche	pencil-case
el boli, el bolígrafo	biro, ball-point pen
el recambio	refill, cartridge
la pluma	fountain pen
el rotulador	marker/felt-tip pen
el lápiz / el lapicero	pencil
los lápices	pencils
la goma (de borrar)	rubber, eraser
el sacapuntas	pencil-sharpener
la regla	ruler

i La gente — People

el director/la directora	headmaster, headmistress
el maestro/la maestra	primary school teacher
el profesor/la profesora	teacher
el lector/la lectora	language assistant
el bibliotecario/la bibliotecaria	librarian
el portero / el conserje	porter
la secretaria	secretary
el tutor/la tutora	tutor
el alumno/la alumna	pupil
el/la estudiante	student
interno/a	boarder

externo/a	day pupil
el compañero/la compañera (de clase)	(class)mate

j Cómo describir a los profesores

How to describe the teachers

¿qué opinas del profesor de matemáticas?	what do you think of the Maths teacher?
¿qué te parece la profesora de francés?	what do you think of the French teacher?

aguantar	to put up with, to bear
enseñar bien/mal	to teach well/badly
explicar	to explain
dar (doy) una explicación	to give an explanation
preparar bien sus clases	to prepare one's lessons well
tener (tengo) mucha paciencia	to be very patient
controlar una clase	to control a class

ser (soy) comprensivo/a	to be understanding
amable	kind, nice
bueno/a	good
encantador/a	delightful
entusiasta	enthusiastic
paciente	patient
simpático/a	nice

no sabe controlar la clase	he/she doesn't know how to control the class
ser (soy) poco comprensivo/a	to be not very understanding
impaciente	impatient
antipático/a	unpleasant, nasty
aburrido/a	boring
estricto/a	strict
malo/a	bad
exigente	demanding
horrible	horrible
insoportable	unbearable

Te toca. 8

Describe al profesor.

Describe the teacher.

¡Ahora usa la lista de arriba
y describe a tus profesores
en español!

Now use the list above to
describe your teachers in
Spanish!

Ejemplo: El profesor/La profesora de español enseña bien . . .

k El horario

The timetable

¿a qué hora empiezan las clases?	what time do lessons start?
¿a qué hora terminan las clases?	what time do lessons end?
empezar (empiezo) **comenzar (comienzo)**	to begin, start
terminar	to finish, end
la reunión	meeting, assembly
el recreo	break
la(s) hora(s) libre(s)	free time
la hora de comer	lunch time, lunch hour
una clase libre	a study period
la asignatura	subject
la lección **la clase**	lesson
las clases	lessons

la lengua	
el idioma	language
el lenguaje	language (mode, style)
la gramática	grammar
el vocabulario	vocabulary
la palabra	word
la frase	sentence
la letra	letter
el alemán	German
el castellano	(Castilian) Spanish
el español	Spanish
el francés	French
el galés	Welsh
el griego	Greek
el inglés	English
el italiano	Italian
el latín	Latin
el portugués	Portuguese
el ruso	Russian
el arte	art
el dibujo	drawing
la cerámica	pottery
el drama	drama
la música	music
la ciencia	science
las ciencias naturales	natural sciences
la biología	biology
la química	chemistry
la física	physics
las matemáticas	mathematics
la informática	information technology
la tecnología	design and technology
las ciencias sociales	social sciences
las humanidades	humanities
la geografía	geography
la historia	history
los estudios de la empresa	
empresariales	business studies
el comercio	
las ciencias económicas	
la economía	economics
la política	politics

la ética	ethics
la religión	religious studies
la mecanografía	typing
la educación física	PE

Te toca. 9

Describe un día típico en tu colegio, completando las siguientes frases:

Describe a typical school day by finishing off the following sentences:

1 Al llegar al colegio voy ...

2 La primera clase empieza ...

3 Cada clase dura ...

4 Antes del recreo tenemos ...

5 Durante el recreo ...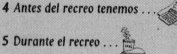

6 Almuerzo ...

7 Después de comer tengo ...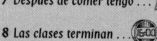

8 Las clases terminan ...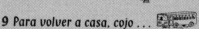

9 Para volver a casa, cojo ...

I El progreso

Progress

soy bueno/a en español	I am good at Spanish
soy malo/a en dibujo	I am bad at drawing
¿qué tal se te da el francés?	what are you like at French?
se me da muy bien el español	I'm very good at Spanish
se me dan muy mal las ciencias	I'm terrible at science
me gusta la historia	I like history

no me gusta el inglés	I don't like English
me encanta la física	I love physics
me interesa mucho la religión	I'm really interested in RS/RE
me fascina la biología	I find biology fascinating
me chifla la informática	I think IT/computer studies is great
odio la geografía	I hate geography
prefiero los idiomas	I prefer languages
no quiero estudiar la química	I don't want to study chemistry

elegir (elijo) ⎱ **escoger (escojo)** ⎰	to choose
para "A level" me gustaría elegir ciencias	for A level I would like to choose sciences

fácil	easy
difícil	difficult
imposible	impossible
me resulta imposible	I find it impossible
encontrar difícil	to find difficult
lo encuentro difícil	I find it difficult
es aburrido/a	it is boring
aburrirse (me aburro)	to get bored
estar (estoy) aburrido/a	to be bored
interesante	interesting
útil	useful
inútil	useless
es pesado/a	it's boring, tedious

mejorar	to improve
avanzar	to progress
hacer (hago) progresos	to make progress
ir (voy) rápidamente	to go quickly
la nota	school report, mark
el resultado	result
repasar los apuntes	to revise the notes
tener buena/mala memoria	to have a good/bad memory
tener (tengo) éxito	to succeed
acertar (acierto) ⎱ **tener (tengo) razón** ⎰	to get/be right
no tener (tengo) razón ⎱ **equivocarse (me equivoco)** ⎰	to be wrong
el error	mistake

m Los exámenes / Exams

el examen	examination
los exámenes	examinations
el control	test
el examinador, la examinadora	examiner
presentarse (me presento) a un examen	to sit an exam
corregir (corrijo)	to correct
corregido/a	corrected
sacar buenas/malas notas	to get good/bad marks
saqué 80% en mi examen de español	I got 80% in my Spanish exam

n Las notas / Marks

de diez	out of ten
sobresaliente	excellent
notable	very good
bien	good
suficiente	satisfactory
insuficiente	poor
¿cuánto sacaste?	what did you get?
he sacado un seis	I've got six
saqué un siete	I got seven
aprobar (apruebo)	to pass
no aprobar (apruebo)	to fail
si apruebo	if I pass
un aprobado	a pass/a pass mark
suspender	to fail
si me suspenden	if I fail
no aprobé el francés	I didn't pass French
quedar	to remain
¿cuántas te han quedado?	how many (subjects) did you fail
me han quedado dos	I failed two (subjects)
me han suspendido en biología	I failed biology

repasar para un examen	to revise for an examination
ponerse nervioso/a	to become nervous
siempre me pongo muy nervioso/a	I always get very nervous
los nervios	nerves
la presión	pressure

Para hablar de tu colegio tienes que rellenar los huecos siguientes.	Talk about your school by completing the following phrases.

1 Mi asignatura preferida es ....
2 No me gusta ....
3 Odio/detesto ....
4 Me chifla ....
5 Las clases de .... son muy divertidas.
6 Soy bueno/a en ....
7 Soy malo/a en ....
8 Se me da muy bien ....
9 Se me da muy mal ....
10 Me resulta fácil ....

4 Comer y beber — Eating and drinking

a Las comidas — Meals

beber	to drink
la bebida	drink
comer	to eat
la comida	food/meal/lunch
¿qué quieres tomar?	what will you have?
quiero una tónica	I'll have a tonic water
para mí un té	I'll have a cup of tea
¿un poco más?	a bit more?
bastar	to be enough
basta	that's enough
¡salud!	cheers! your health!

soy vegetariano/a	I'm a vegetarian
la hamburguesa vegetal	veggie burger

tener (tengo) hambre	to be hungry
tener (tengo) sed	to be thirsty

27

quedar con hambre	still to be hungry
tomar	to have (drink or food)
estar bueno	to be good
el desayuno	breakfast
desayunar	to have breakfast
el almuerzo	lunch
almorzar (almuerzo)	to have lunch
la comida	food/meal/lunch/dinner (at midday)
comer	to eat/to have lunch/dinner (at midday)
la merienda	tea/afternoon snack/picnic
merendar (meriendo)	to have an afternoon snack/picnic
la cena	dinner (in the evening), supper
cenar	to have dinner (in the evening), supper

b La vajilla y los cubiertos — Crockery and cutlery

el plato	plate
el tazón	bowl
la taza	cup
el platillo	saucer
los cubiertos	cutlery
el cuchillo	knife
la cuchara	spoon
la cuchara sopera	soup spoon
la cucharilla	tea/coffee spoon
el tenedor	fork
el vaso	glass

c El desayuno — Breakfast

tomar el desayuno	to have breakfast
el pan	bread
el pan de molde	sliced bread
la barra (de pan)	French bread
una barra de pan	a loaf of French bread/baguette
el panecillo	roll
el bollo	bun, roll
la tostada	toast

los churros	sticks of deep-fried dough
los cereales	cereal
la magdalena	fairy cake
la galleta	biscuit
el cruasán ⎱ **el croissant** ⎰	croissant
la mantequilla	butter
la margarina	margarine
el azúcar	sugar
la mermelada	jam
la mermelada de naranja	marmalade
la miel	honey
el queso	cheese
el yogur	yoghurt
el beicon	bacon
el huevo	egg

d Las bebidas — Drinks

la botella	bottle
la lata	can (of drink)
el café	coffee
un café con leche	a coffee with milk
un café cortado	coffee with a dash of milk
un café solo	a black coffee
un café descafeinado	decaffeinated coffee
la leche	milk
la leche desnatada	skimmed milk
la leche semidesnatada	semi-skimmed milk
la crema ⎱ **la nata** ⎰	cream
el batido	milkshake
un batido (de fresa)	(strawberry) milkshake
una infusión	infusion
un té	tea
un té con limón	lemon tea
una manzanilla	camomile tea
el zumo de fruta	fruit juice
el zumo de naranja/ manzana/piña	orange/apple/pineapple juice
el jugo	juice
el refresco	soft drink

la limonada	lemonade
la gaseosa	pop
la tónica	tonic water
el agua (f)	water
la coca cola	coke
el chocolate caliente	hot chocolate
el porrón	wine/beer jar with a long spout
la caña de cerveza	glass of beer
la copa de vino	glass of wine
el vino de Jerez	sherry
el vino fino	dry sherry
el vino rosado	rosé wine
el vino tinto	red wine
el vino blanco	white wine
el cava	sparkling wine
el champán/champaña	champagne
la sangría	sangría (wine and fruit juice cocktail)
la sidra	cider
el licor	liqueur; liquor, spirits
la ginebra	gin
el gintonic	gin and tonic
el coñac	cognac
seco/a	dry
dulce	sweet
fuerte	strong
flojo/a	weak
amargo/a	bitter
espumoso	sparkling
el vaso de agua	glass of water
el agua mineral con gas	sparkling mineral water
el agua mineral sin gas	still mineral water
la horchata	drink made from tiger nuts
la chufa	tiger-nut

e Los bares

Bars

el bar	café, bar
la cafetería	café
el restaurante	restaurant
la cantina	snack bar
el camarero/la camarera	waiter, waitress

el mostrador	counter
la barra	bar, counter
me cobra/cóbreme	how much do I owe you?
¡quédese con la vuelta!	keep the change
¿algo más?	anything else?
no, nada más	no, nothing else
¿qué hay para comer?	what is there/what have you got to eat?
¿hay mejillones?	have you got any mussels?
por favor	please
gracias	thank you
no, gracias	no thanks
muchas gracias	many thanks
las tapas	bar snacks, tapas
típico/a	typical
el aperitivo	appetizer, snack
el canapé	canapé
la ración	portion
los calamares a la romana	squid fried in batter
el pulpo	octopus
las almejas	clams
los mejillones	mussels
las gambas a la plancha	grilled prawns
el marisco	seafood
la platija	plaice
el boquerón	anchovy (fresh)
la anchoa	anchovy (in brine)
el chorizo	chorizo (spicy sausage)
los champiñones	mushrooms
la aceituna	olive
la hamburguesa	hamburger
el perrito caliente	hot dog
las patatas fritas	chips, crisps
las patatas bravas	chips/potatoes with spicy sauce
el bocadillo	sandwich
el sandwich	toasted sandwich
la tortilla de patatas	potato omelette
la paella	paella
la ensaladilla rusa	Russian salad
los cacahuetes	peanuts
la almendra	almond

f Los restaurantes — Restaurants

el restaurante de cinco tenedores	five star restaurant
el restaurante de lujo	luxury restaurant
reservar	to book
la mesa (libre)	(free) table
una mesa para cuatro personas	a table for four people
la servilleta	serviette, napkin
el mantel	table cloth
servir (sirvo)	to serve
el primer plato	first course
el plato principal	main course
el segundo plato	second/main course
el postre	dessert
de postre	for dessert
traer (traigo)	to bring
¡tráigame la cuenta! / ¡la cuenta por favor!	could I have the bill please?
equivocarse (me equivoco)	to make a mistake
creo que usted se ha equivocado	I think you've made a mistake
sumar	to add up
cobrar	to charge
la carta	menu
el menú	set menu
el menú del día	set menu of the day
la especialidad	speciality
la lista de vinos	wine list
el vino de la casa	house wine
la sal	salt
la pimienta	pepper
la mostaza	mustard
la mayonesa	mayonnaise
la salsa	sauce, gravy
el vinagre	vinager
el aceite (de oliva)	(olive) oil
el pan	bread

la garrafa de vino	carafe of wine
el jarro de agua	jug of water
el servicio	service/toilet
la propina	tip
dejar una propina	to leave a tip
el palillo de dientes	toothpick
¡que aproveche! ¡buen provecho!	bon appétit!
convidar a alguien a algo	to invite somone to something
me convidó a (una bebida)	he treated me to (a drink)

g Los entremeses y el primer plato — Starter and first course

la ensalada	salad
el tomate	tomato
el ajo	garlic
la lechuga	lettuce
la cebolla	onion
el pepino	cucumber
el pepinillo	gherkin
los espárragos	asparagus
los mariscos	seafood, shellfish
las gambas	prawns
los mejillones	mussels
el caldo	broth, clear soup
la sopa	soup
la menestra	vegetable soup
el gazpacho	gazpacho (Andalusian cold soup)

h Las verduras — Vegetables

el aguacate	avocado pear
el bróculi	broccoli
el guisante	pea
el haba (las habas) (f)	broad bean (broad beans)
el pimiento (rojo/verde)	(red/green) pepper
la alcachofa	artichoke
la berenjena	aubergine

la col	cabbage
la col de Bruselas	Brussels sprout
la coliflor	cauliflower
la espinaca	spinach
la habichuela	runner bean
la judía	kidney bean
las judías verdes	green beans
el champiñón	
la seta	mushroom
la lenteja	lentil
el garbanzo	chickpea
la patata	potato
la zanahoria	carrot

i El segundo plato   Main course

la carne	meat
el cerdo	pork
el conejo	rabbit
el cordero	lamb
el pato	duck
el pavo	turkey
el pollo	chicken
la carne de vaca	beef
la carne picada	mince
la ternera	veal
el bistec/biftec	steak
la chuleta	chop
el filete	fillet steak
el entrecot	sirloin steak
la albóndiga	meat-ball
la costilla	rib, cutlet
el lomo	loin
el solomillo	sirloin
la salchicha	sausage
el salchichón	(salami type) sausage
la morcilla	black pudding
¿cómo quiere usted su carne?	how would you like your meat done?
muy hecho/a	well done
poco hecho/a	rare

crudo/a	raw
salado	salty
quemado/a	burnt
¿me lo puede pasar un poco más?	can you cook it a bit more?

el pescado	fish
el bacalao	cod
el lenguado	sole
el pez espada	swordfish
el salmón	salmon
el rape	monkfish
la merluza	hake
la sardina	sardine
la trucha	trout
los calamares	squid
el atún	tuna, tunny

Te toca. 11

Sopa de letras. Busca los tipos de comida y bebida.

Word search. Look for the different types of food and drink.

agua	vino	huevos	entremeses	postre	helado	flan	ensalada

S	G	E	O	P	O	S	T	R	E
E	A	H	R	E	Y	L	A	S	A
N	H	E	L	A	D	O	T	I	V
S	R	L	O	G	X	Y	F	E	I
A	U	D	L	U	B	D	E	D	A
L	A	E	P	A	F	A	I	T	H
A	D	I	J	R	N	L	L	P	U
D	O	G	A	U	A	U	A	O	E
A	F	A	L	F	T	O	U	N	V
L	U	R	M	W	P	V	I	N	O
E	N	T	R	E	M	E	S	E	S
O	S	A	P	E	L	F	C	T	N
Q	M	A	X	Y	B	D	O	A	O
U	P	I	E	T	N	M	X	I	E

j El postre — Dessert

la fruta del tiempo	fruit in season
el albaricoque	apricot
el higo	fig
el melocotón	peach
el plátano	banana
la cereza	cherry
la ciruela	plum
la frambuesa	raspberry
la fresa	strawberry
la manzana	apple
el melón	melon
la naranja	orange
la nectarina	nectarine
la pera	pear
la piña	pineapple
la sandía	water melon
la uva	grape
el pomelo	grapefruit

el helado	ice cream
el flan	crème caramel
el pudín	pudding
las natillas	custard
el arroz con leche	rice pudding
el requesón	cream cheese
el yogur	yoghurt
el pastel ⎱ **la tarta** ⎰	cake

k La cocina — Cooking

cocinar	to cook
la receta	recipe
el delantal	apron
cortar	to cut
batir	to beat, whisk
mezclar	to mix
añadir	to add
verter (vierto), echar	to pour
freír (frío)	to fry
hervir (hiervo)	to boil

asar	to roast
guisar	to stew, cook
calentar (caliento)	to heat up
enfriar (enfrío)	to cool
congelar	to freeze
descongelar	to defrost

Te toca. 12

Tacha la palabra intrusa, luego explica por qué no va, en español, ¡claro!	Cross out the odd one out and explain, in Spanish of course, why it's the odd one out.

Ejemplo: *whisky   ron   agua   vodka*

"agua" es la palabra intrusa porque las otras palabras equivalen a bebidas alcohólicas.

1 *manzanilla   té   café   cerveza*

2 *cuchillo   botella   tenedor   cuchara*

3 *plato   jarro   garrafa   vaso*

4 *caldo   gazpacho   ajo   sopa*

5 *solo   descafeinado   limón   cortado*

6 *tinto   rosado   blanco   rojo*

7 *fuerte   dulce   amargo   gordo*

8 *cigarrillo   sal   vinagre   aceite*

9 *bistec   mostaza   chuleta   filete*

10 *crudo   morcilla   quemado   salado*

5 La salud   Health

a El cuerpo   Parts of the body

el cuerpo	body
la cabeza	head
el pelo	hair
el cuello	neck
el ojo	eye
la nariz	nose
la cara / el rostro	face
la ceja	eyebrow
la pestaña	eyelash
el párpado	eyelid
la frente	forehead
la mejilla	cheek
la boca	mouth
el labio	lip
la lengua	tongue
el diente	tooth
las encías	gums
la barbilla	chin
el oído	inner ear
la oreja	ear
la garganta	throat
el hombro	shoulder
el pecho	chest
los pechos	breasts
el estómago	stomach
el vientre	belly
la espalda	back
el brazo	arm
el codo	elbow
la muñeca	wrist
la mano	hand
el dedo	finger
la uña	nail
la cintura	waist
el trasero	bottom
el muslo	thigh

Te toca. 13

¿Cuáles son las partes del cuerpo indicadas?

What are the names of the parts of the body indicated?

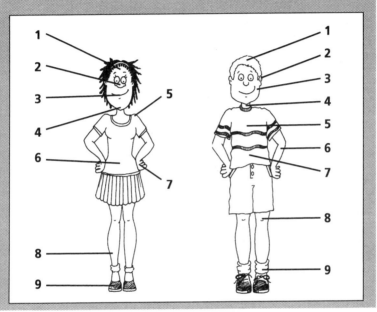

la cadera	hip
la pierna	leg
la rodilla	knee
el tobillo	ankle
la espinilla	shin
el talón	heel
el pie	foot
los dedos del pie	toes
el miembro	limb
el hueso	bone
el músculo	muscle
los nervios	nerves
la columna vertebral	spine
el corazón	heart

el pulmón	lung

estornudar	to sneeze
bostezar	to yawn
tener (tengo) hipo	to have hiccoughs, hiccups
roncar	to snore

b La forma física y la dieta — Fitness and diet

de buena salud	healthy
mantenerse (me mantengo) en forma	to keep fit
el aerobic	aerobics
el ejercicio	exercise
hacer (hago) ejercicio	to take exercise
hacer (hago) gimnasia	to do (physical) exercises
la bicicleta estática	exercise bicycle
precalentarse	to warm up
las clases de gimnasia de mantenimiento	keep-fit classes
los ejercicios de gimnasia de mantenimiento	keep-fit exercices
el yoga	yoga

la dieta (equilibrada)	(balanced) diet
la caloría	calorie
ponerse (me pongo) a régimen	to go on a diet
estar (estoy) a régimen	to be on a diet
perder (pierdo) peso	to lose weight
adelgazar	to lose weight, slim
engordar	to put on weight

c Los dolores — Aches and pains

el dolor	pain, ache
doler	to hurt
me duele el estómago	I've got a stomach ache
la cabeza	a headache
el oído	ear ache
la muela	toothache
la garganta	a sore throat
tengo dolor de cabeza	I've got a headache

dolor de estómago	stomach ache
me duelen los pies	my feet are aching
el periodo ⎫ **la regla** ⎭	period
la menstruación	menstruation
está embarazada	she is pregnant
el embarazo	pregnancy
torcerse (me tuerzo)	to twist, sprain
me he torcido el tobillo	I've twisted my ankle
se torció el tobillo	he twisted his ankle
hacerse (me hago) daño	to hurt oneself
me he hecho daño en la mano	I've hurt my hand
romper	to break
romperse el brazo	to break one's arm
¿cómo te encuentras?	how do you feel?
me encuentro bien/mal	I feel fine/poorly
me encuentro mejor/peor	I feel better/worse
¿qué te pasa?	what's wrong with you?/what's the matter?
me siento fatal	I feel awful
estar (estoy) mal/fatal	to feel poorly/awful
estar (estoy) malo	to be ill
estar (estoy) mejor	to feel better
estar (estoy) bien	to be fine

d Las enfermedades — Illnesses

la enfermedad	illness
la salud	health
sano/a ⎫ **saludable** ⎭	healthy
estar (estoy) enfermo/a	to be ill
el mareo	sick feeling/dizziness,/seasickness
marearse (me mareo) ⎫ **estar (estoy) mareado** ⎭	to feel sick
sentirse (me siento) bien/mal	to feel fine/bad
vomitar ⎫ **devolver (devuelvo)** ⎭	to vomit

la diarrea	diarrhœa
el estreñimiento	constipation
estoy estreñido/a	I'm constipated

la tos	cough
toser	to cough
un resfriado ⎫ un catarro ⎬	a cold
acatarrarse (me acatarro) ⎫ resfriarse (me resfrío) ⎬	to catch a cold
estar (estoy) resfriado/a ⎫ estar (estoy) constipado ⎬	to have a cold
estar (estoy) afónico/a	to have lost one's voice
la gripe	flu
tener (tengo) la gripe	to have the flu
la fiebre	fever, temperature
tener (tengo) fiebre	to be feverish
sudar	to sweat
el sudor	sweat
llorar	to cry
las lágrimas	tears
la apendicitis	apendicitis
la gastritis	gastritis
la enteritis	enteritis
la intoxicación	food poisoning
tengo el pie hinchado	my foot is swollen

| ser alérgico/a a ⎫ tener (tengo) alergia a ⎬ | to be allergic to |
| la fiebre del heno | hay fever |

sufrir	to suffer
el sufrimiento	suffering
padecer (padezco) de	to suffer from
el cáncer	cancer
el SIDA	AIDS
el ataque al corazón ⎫ el infarto ⎬	heart attack
la crisis nerviosa	nervous breakdown
el asma (f)	asthma
la infección	infection
infeccioso/a	infectious

la insolación	sunstroke
la quemadura	burn
la quemadura del sol	sunburn
quemar	to burn
quemarse la mano	to burn one's hand
la picadura	insect sting
picar	to sting
me picó una avispa/abeja	I was stung by a wasp/bee
me picaron los mosquitos	I was bitten by mosquitos

ciego/a	blind
sordo/a	deaf
mudo/a	dumb, mute
sordomudo/a	deaf and dumb, deaf-mute
tartamudo/a	stuttering, stammering
tartamudear	to stutter, stammer

e En el médico — At the doctor's

ir (voy) al médico	to go to the doctor
el tratamiento	treatment
tratar	to treat
curar	to cure
quedarse (me quedo) en la cama	to stay in bed
el reposo	rest
la medicina	medicine
recetar	to prescribe

el médico/la médica	doctor
las horas de consulta	surgery hours
el consultorio	surgery
el consejo	advice
aconsejar	to advise
recomendar (recomiendo)	to recommend
sugerir (sugiero)	to suggest
deberías haber ido al médico	you should have gone to the doctor's
la cura	cure

el/la dentista	dentist
sacar una muela	to take a tooth out
el empaste	filling

empastar	to fill
el anestésico	anaesthetic
anestesiar	to anaesthetize

f En la farmacia — At the chemist's

la farmacia	chemist
la farmacia de guardia	duty chemist
la receta médica	prescription
la aspirina	aspirin
la pastilla / **el comprimido**	tablet, pill
el medicamento	medicine, drug
el jarabe	linctus, cough-mixture
la pomada	cream, ointment
el espray	spray
el algodón	cotton-wool
el tubo	tube
la tirita	(sticking) plaster
la venda	bandage
vendar	to bandage
el supositorio	suppository
los antibióticos	antibiotics
la vitamina	vitamin

g En el hospital — In hospital

perder (pierdo) el conocimiento	to lose consciousness
recobrar el conocimiento	to regain consciousness
volver (vuelvo) en sí	to come round
la camilla	stretcher
tener (tengo) la pierna escayolada	to have one's leg in plaster
la escayola	plaster
las muletas	crutches
el bastón	walking-stick
el enfermero, la enfermera	nurse
el cirujano, la cirujana	surgeon
la clínica	clinic
el puesto de socorro	first-aid centre

los primeros auxilios	first aid
el hospital	hospital
la operación	operation
operarse (me opero) de . . .	to have an operation on . . .

Te toca. 14

¿Qué te pasa? Une los problemas de la primera columna con los consejos de la segunda.	*What's the matter? Match the problems in the first column with the advice in the second.*

Ejemplo: *Me duele el oído. = Toma una pastilla.*

1 Tengo dolor de cabeza.
2 Me duele la garganta.
3 Tengo tos.
4 Tengo una infección de oído.

5 No puedo dormir.
6 Tengo fiebre – creo que tengo gripe.
7 Me he cortado el dedo.
8 Tengo dolor de muelas.

9 Me he quemado al sol.
10 Creo que me he roto la pierna.

a Ve al dentista.
b Tómate un jarabe.
c Ponte una pomada.
d Tendrás que tomar antibióticos.
e Acuéstate entonces.
f Toma una pastilla.

g Toma una aspirina.
h No te muevas – llamaré una ambulancia.
i Ponte una tirita.
j Toma un somnífero.

h La muerte — Death

morir (muero)	to die
moribundo/a	dying, moribund
la muerte	death
fallecer (fallezco)	to pass away, die
el fallecimiento	decease, demise
fallecido/a	deceased
el cementerio	cemetery
el cadáver	corpse
enterrar (entierro)	to bury

el entierro	burial
la tumba	tomb, grave
lo siento	I'm sorry
el pésame	condolence
dar (doy) el pésame	to express one's condolences

i Dependencia — Addiction

el alcoholismo	alcoholism
alcohólico/a	alcoholic
borracho/a	drunk
el tabaco	tobacco
el tabaquismo	addiction to tobacco
el cigarrillo	cigarette
la cajetilla de cigarrillos	packet of cigarettes
el cigarro	cigar/cigarette
el puro	cigar
el mechero / **el encendedor**	lighter
la cerilla	match
la pipa	pipe
fumar en pipa	to smoke a pipe
el fumador/la fumadora	smoker
la droga	drug
la droga blanda	soft drug
la droga dura	hard drug
drogarse (me drogo) / **tomar drogas**	to take drugs
el drogadicto, la drogadicta	drug addict

B: Personal and social life

1 Mi familia, mis amigos y yo

My family, my friends and me

a Datos personales

Personal details

el nombre	name
¿cómo te llamas?	what's your name?
llamarse (me llamo)	to be called
me llamo Paul mi nombre es Paul	my name is Paul
el nombre de pila	first name, Christian name
el apellido	surname

la edad	age
¿cuántos años tienes?	how old are you?
tener 15 años	to be 15 years old
¿cuándo es tu cumpleaños?	when is your birthday?
mi cumpleaños es el diez de febrero	my birthday is on 10 February
la fecha de nacimiento	date of birth
el lugar de nacimiento	place of birth

el origen	origin
¿de dónde eres?	where are you from?
soy de Londres	I'm from London
¿de qué nacionalidad eres?	what nationality are you?
soy galés/galesa	I'm Welsh
inglés/inglesa	English
escocés/escocesa	Scottish
irlandés/irlandesa	Irish
nacer (nazco)	to be born
¿dónde naciste?	where were you born?
nací en Newcastle	I was born in Newcastle
el nacimiento	birth

el domicilio	home address
vivir	to live
¿dónde vives?	where do you live?
vivo en Hotwells en Bristol	I live in Hotwells in Bristol

la dirección	address
el código postal	postcode
el número de teléfono	telephone number
mudarse (me mudo) de casa	to move house
el estado civil	marital status
¿cuál es su estado civil?	what is your marital status?
ser (soy) soltero/a	to be single, unmarried
estar (estoy) casado/a	to be married
jubilado/a	retired
prometido/a	engaged
¿cómo eres?	what are you like?
el sexo masculino/femenino	the male/female sex
joven	young
menor (que)	younger (than)
mayor (que)	older (than)
mis padres son mayores	my parents are elderly
medir (mido)	to measure
mido un metro 83	I'm 1 m 83 cm tall
pesar	to weigh
peso 75 kilos	I weigh 75 kilos

b La familia — Family

el padre	father
papá	dad
la madre	mother
mamá	mum
los padres	parents
el pariente/la parienta	relative
los parientes	relatives
el marido } **el esposo**	husband
la mujer	wife/woman
la esposa	wife
el hijo	son
la hija	daughter
los hijos	children, sons and daughters
el hermano	brother
la hermana	sister
los hermanos	brothers/brothers and sisters
el hermano mayor	elder brother

Te toca. 15

Quieres hacer un intercambio con un colegio en Sevilla; rellena la ficha, dando tus datos personales:

You want to go on an exchange visit with a pupil from a school in Seville; fill in the form, giving your personal details:

Apellido . . . .

Nombre . . . .

Edad . . . .

Domicilio . . . .

Fecha de nacimiento . . . .

Lugar de nacimiento . . . .

Nacionalidad . . . .

Religión . . . .

Pasatiempos preferidos . . . .

. . . .

. . . .

Comida que no me

gusta . . . .

la hermana menor	younger sister
ser (soy) hijo único/hija única	to be only child
el tío	uncle
la tía	aunt
los tíos	uncle(s) and aunt(s)
el primo/la prima	cousin
el sobrino	nephew
la sobrina	niece
el cuñado	brother-in-law
la cuñada	sister-in-law
el suegro	father-in-law
la suegra	mother-in-law
el yerno	son-in-law
la nuera	daughter-in-law
el abuelo	grandfather
la abuela	grandmother

los abuelos	grandparents
el abuelito	granddad
la abuelita	grandma
el nieto	grandson
la nieta	granddaughter
los nietos	grandchildren
el bebé	baby
cuidar de	to look after
crecer (crezco)	to grow
la familia numerosa	large family
el huérfano/la huérfana	orphan
el padrastro	stepfather
la madrastra	stepmother
el hermanastro	stepbrother
la hermanastra	stepsister
el medio hermano	half brother
la media hermana	half sister
mis padres adoptivos	my adoptive parents
la madre adoptiva	adoptive mother
adoptar	to adopt
ser adoptado/a	to be adopted
el viudo	widower
la viuda	widow
el padrino	godfather/best man
la madrina	godmother
el ahijado	godson
la ahijada	goddaughter
la persona	person (*m/f*)
la infancia / **la niñez**	childhood
los gemelos	twins
el niño	little boy/child
la niña	little girl
el chico / **el muchacho**	boy
la chica / **la muchacha**	girl
la juventud	youth
la adolescencia	adolescence
el/la adolescente / **el/la joven**	adolescent, teenager

inmaduro/a	immature
menor de edad	under 18
mayor de edad	over 18
el adulto/la adulta **la persona mayor**	adult
el hombre	man
la mujer	woman
el señor	gentleman, Mr
la señora	lady, Mrs
la señorita	young lady, Miss
el matrimonio	married couple
la vejez	old age

el noviazgo	engagement
el prometido/la prometida	fiancé/fiancée
casarse (me caso) con	to marry
la boda	wedding
el enlace	marriage
la alianza	wedding ring
el matrimonio	matrimony, couple
la pareja	couple
el viaje de novios **la luna de miel**	honeymoon
la separación	separation
separarse (me separo)	to separate
están separados	they are separated
el divorcio	divorce
divorciarse (me divorcio)	to get divorced
divorciado/a	divorced
mis padres están divorciados	my parents are divorced

Te toca. 16

Escribe cinco frases sobre ti mismo/a:

Write five phrases about yourself:

Ejemplo: *Me llamo Juan.*
Tengo quince años.
Mi cumpleaños es el diez de abril.
Vivo en Madrid.
Soy hijo único.

c El físico — Physical appearance

guapo/a	handsome, pretty
lindo/a	good looking, pretty
bello/a	lovely, beautiful
bonito/a	nice, pretty
precioso/a	beautiful, lovely
atractivo/a	attractive
feo/a	ugly
sexy	sexy
las pecas	freckles
pecoso/a	freckly
el grano	pimple, spot
el hoyo	dimple
tener/usar gafas	to wear glasses
pálido/a	pale
ser (soy) moreno/a	to be dark-skinned
parecerse (me parezco) a	to look like
se parece mucho a su padre	he/she really looks like his/her father

alto/a	tall
la talla media	average sized
bajo/a	short

gordo/a	fat
grande	big, large
corpulento/a	well-built
fuerte	strong
musculoso/a	muscular
de estatura media	average build
pequeño/a	small
delgado/a	thin, slim
flaco/a	skinny, thin
débil	weak

el pelo	hair
el pelo rubio	blond (hair)
liso	straight
lacio	lank, straight
moreno	dark brown
castaño	chestnut brown
pelirrojo	red-haired, ginger

canoso	grey, white
teñido	dyed
largo	long
corto	short
fino	fine
rizado	curly
lavarse (me lavo) el pelo/la cabeza	to wash one's hair
teñirse (me tiño) el pelo	to dye one's hair
tiene canas	he has grey hair
tener (tengo) la raya al lado	to have a side parting
hacerse (me hago) la permanente	to have a perm
la cola de caballo	pony tail
las trenzas	plaits
el flequillo	fringe
tener (tengo) la cabeza rapada	to have a shaven head
calvo/a	bald
las patillas	sideburns
el bigote	moustache
la barba	beard
tener (tengo) barba	to have a beard
bigote	moustache
los ojos	eyes
tiene los ojos verdes	he has green eyes

d El carácter — Character

el carácter	character
la personalidad	personality
la cualidad	quality
ser (soy) inteligente	to be intelligent
listo/a	clever
trabajador/a	hard-working
agradable ⎫ **simpático/a** ⎭	pleasant, nice
callado/a	quiet
cariñoso/a	affectionate
educado/a	polite
gracioso/a	funny, amusing
generoso/a	generous

tolerante	tolerant
sensible	sensitive
tranquilo/a	calm, unruffled
honesto/a	honest
responsable	responsible
optimista	optimistic
paciente	patient
sincero/a	sincere
sociable	sociable
extrovertido/a	extrovert, outgoing
ambicioso/a	ambitious
romántico/a	romantic
seguro de sí mismo/a	confident
tiene buen genio	she is good-natured

ser (soy) tonto/a	to be silly
emocional	emotional
nervioso/a	nervous
introvertido/a	introverted
tímido/a	shy, timid
solitario/a	lonely, solitary
soñador/a	dreamy

el defecto	defect
agresivo/a	to be aggressive
antipático/a } **desagradable** }	unpleasant
celoso/a	jealous
envidioso/a	envious, jealous
mimado/a	spoilt
maleducado/a	rude
egoísta	selfish
imbécil	stupid
grosero/a	coarse
hablador/a	talkative
chulo/a	cocky, flashy
orgulloso/a	proud
impaciente	impatient
intolerante	intolerant
tonto/a	silly
estúpido/a	stupid
torpe	slow witted, dim
aburrido/a	boring

soso/a	dull, uninteresting
loco/a	mad
mentiroso/a	lying, deceitful; liar
travieso/a	naughty
pesimista	pessimistic
perezoso/a	lazy
testarudo/a	stubborn
vago/a	lazy
violento/a	violent
tiene mal genio	he is bad-tempered

Te toca. 17

Descríbete a ti mismo/a. describe a tu familia y a tus amigos.

Describe yourself. your family and friends.

Ejemplo: *Mi madre es alta y delgada.*
Tiene el pelo rubio y los ojos verdes.
Es amable y responsable.
Mi padre es muy perezoso.

e Los encuentros — Meetings

tratar de tú / **tutear**	to use the *tú* form to someone
tratar de usted	to use the *usted* form to someone
¡trátame de tú!	use the *tú* form (equivalent in English to 'call me by my first name')
¡no me trates de usted!	don't use the *usted* form ('don't call me Mr. X')
citar	to arrange to meet
la cita	appointment, date
¿quieres venir conmigo?	do you want to come with me?
¿te gustaría venir conmigo?	would you like to come with me?
no puedo	I can't
tengo que estudiar	I have to study

me encantaría	I'd love to
vale	OK
de acuerdo	OK, all right
claro }	of course
por supuesto	

estoy ocupado/a	I'm busy
no me apetece }	I don't feel like it
no tengo ganas	
no me siento bien	I don't feel well
estoy hecho polvo	I'm shattered
estoy cansado/a	I'm tired

f Los saludos — Greetings

saludar	to greet
buenos días	good morning, good day
buenas tardes	good afternoon, good evening
buenas noches	good night
¡hola!	hello!/hi!
encantado/a }	pleased to meet you
mucho gusto	
¡bienvenido!	welcome!
dar (doy) la bienvenida a	to welcome

¿qué tal?	how are things?
¿cómo estás? }	how are you?
¿cómo está usted?	
estoy bien	I'm fine
regular }	so-so, all right
así así	

hasta mañana	see you tomorrow
hasta luego	see you soon, later
hasta la vista	so long, see you
despedirse (me despido) de	to say goodbye to
adiós	goodbye

recuerdos	regards
un abrazo	hug
un beso	kiss
un abrazo }	best wishes
un saludo	

el cariño	affection
abrazar	to embrace
besar	to kiss

g Las amistades — Friendships

el amigo/la amiga	friend
el amigo/la amiga por correspondencia	pen-friend
es mi mejor amigo/amiga	he/she is my best friend
estar (estoy) solo/a	to be alone
a solas	on one's own
llevarse (me llevo) bien/mal con	to get on well/badly with
estar (estoy) de acuerdo con (alguien)	to be in agreement with (someone)
contar (cuento) con	to rely on
depender de	to depend on
salir (salgo) con	to go out with
el novio	boyfriend, bridegroom
la novia	girlfriend, bride
enamorarse (me enamoro) de	to fall in love with
estar (estoy) enamorado/a de	to be in love with
el amor	love
prometerse (me prometo)	to get engaged
echar de menos a alguien	to miss s.o.
echo de menos a mi novia	I miss my girlfriend
romper con alguien	to split up with s.o.
ha roto con su novio	she has split up with her boyfriend

h Las emociones — Feelings

la emoción	emotion
emocionante	exciting
sentirse (me siento) (+adj)	to feel (+adj)
me siento feliz	I feel happy
la amistad	friendship
amar	to love
la felicidad / **la alegría**	happiness

contento/a } feliz }	happy
animado/a	lively
estar (estoy) de buen humor	to be in a good mood
reír (río)	to laugh
reírse (me río) de	to laugh at
sonreír (sonrío)	to smile
la risa	laughter
la sonrisa	smile
el chiste	joke
la broma	(practical) joke
pensar (pienso)	to think
creer	to think, believe
darse (me doy) cuenta de	to realize
me di cuenta de que no me quería	I realized that she didn't love me
la sorpresa	surprise
gozar de	to enjoy

la tristeza	sadness
triste	sad
infeliz	unhappy
agobiado/a	overwhelmed, overburdened
deprimido/a	depressed
decepcionado/a	disappointed
está obsesionado con/por	he is obsessed with
preocuparse (me preocupo)	to worry
inquietarse (me inquieto) por	to worry about
la inquietud	worry
confundirse (me confundo)	to get confused
estar (estoy) de mal humor	to be in a bad mood
enfadado/a } enojado/a }	angry
discutir	to argue, discuss
la discusión	argument, discussion
asombrarse (me asombro) de	to be surprised at
sorprender	to surprise

2 El hogar, la casa   House and home

a Nos instalamos   Settling in

estar (estoy) en casa	to be at home
mudarse (me mudo) de casa	to move house
el camión de mudanzas	removal van
instalarse (me instalo) en	to settle in
vivir (en)	to live (in)
alquilar	to rent, hire, let
el alquiler	rent
el inquilino/la inquilina	tenant
el amo/el ama (f)	owner
pagar (pago) una fianza	to pay a deposit
el seguro	insurance
construir (construyo)	to build
ampliar (amplío)	to extend, enlarge
renovar (renuevo)	to renovate
pintar	to decorate/to paint
pintado de	painted in
empapelar	to wallpaper
modificar	to convert
reparar	to repair
la reparación	repair
estar en buen/mal estado	to be in good/bad condition
descuidar	to neglect
el vecino/la vecina	neighbour
llevarse (me llevo) bien/mal con alguien	to get on well/badly with s.o.
¿te llevas bien con tus vecinos?	to you get on well with your neighbours?
me llevo fatal con ellos	I get on really badly with them

b Descripción general   General description

la vivienda	housing, dwelling
la casa	house
el piso	flat
el piso de protección oficial	council flat
la vivienda de protección oficial	council house

viviendas de protección oficial	council housing
el bloque de pisos	block of flats
el apartamento	apartment, flat
una casa adosada	semi-detached house
una casa de un solo piso	bungalow
un chalet } **una casa independiente**	detached house
el garaje	garage

construido de ladrillos	brick-built
de hormigón	concrete-built

cómodo/a	comfortable
amueblado/a	furnished
espacioso/a	spacious
moderno/a	modern
viejo/a	old
lujoso/a	luxurious
normal	ordinary
afuera	outside
adentro	inside

el tejado	roof
la azotea	flat roof
la antena	aerial
la antena parabólica	satellite dish

la fachada	front façade
el patio	courtyard
la terraza	(roof) terrace
la parte trasera	back
dar a	to look out onto

el portero/la portera	caretaker
la puerta principal } **la puerta de la calle**	front door
la puerta trasera	back door
el porche	porch
la entrada	entrance
el ascensor	lift
la escalera	staircase

el piso bajo ⎫ la planta baja ⎭	ground floor
el primer piso ⎫ la primera planta ⎭	first floor
arriba	upstairs
abajo	downstairs

c Descripción detallada   Detailed description

la puerta	door
la cerradura	lock
cerrar (cierro)	to close
cerrado/a	closed
cerrar (cierro) con llave	to lock
abrir	to open
la llave	key
el timbre	bell
el golpe	knock, blow
llamar a la puerta	to knock at the door
el vestíbulo	hall
la ventana	window
la persiana	blind
el balcón	balcony
la pared	wall
el suelo	floor
el techo	ceiling
la cocina	kitchen
el salón ⎫ la sala de estar ⎭	lounge, living room
el comedor	dining room
la habitación	room, bedroom
el dormitorio	bedroom
el cuarto de baño	bathroom
la sala de juegos	games room
la bodega	cellar
el sótano	basement
el ático	attic
el mueble	piece of furniture
los muebles	furniture
el teléfono	telephone

la moqueta	fitted carpet
la alfombra	rug, carpet
empapelado/a	wallpapered
la cortina	curtain
el adorno	ornament
el jarrón	vase
la fotografía	photograph
la foto	photo
decorar	to decorate
la decoración	decoration
el cuadro	painting
el azulejo	wall tile
la baldosa	floor tile
la teja	roof tile

d El cuarto de baño   The bathroom

el baño } **la bañera** }	bath
la ducha	shower
el lavabo	wash basin
el bidé, el bidet	bidet
el servicio } **el wáter** } **los aseos** }	toilet
el papel higiénico	toilet paper
la toalla	towel
la esponja	sponge
el espejo	mirror

el grifo	tap
abrir el grifo	to turn the tap on
cerrar (cierro) el grifo	to turn the tap off
el tapón	plug
el agua caliente	hot water
el agua fría	cold water

el champú	shampoo
el jabón	soap
el cepillo de dientes	toothbrush
la pasta de dientes	toothpaste
el desodorante	deodorant
el talco	talcum powder

las lentillas	contact lenses
la loción para después del afeitado	after shave
la máquina de afeitar (eléctrica)	(electric) shaver
la maquinilla (de afeitar)	disposable razor
la cuchilla de afeitar	razor blade; razor
el condón	condom
los anticonceptivos	contraceptives
la compresa	sanitary towel
el tampón	tampon
el peine	comb
el perfume	perfume
el maquillaje	make-up
la barra de labios	lipstick
el colorete	rouge
el gel	gel
el rímel	mascara
la sombra de ojos	eye-shadow
las pinzas de depilar	tweezers

e El comedor y el salón

The dining-room and lounge

la mesa	table
la silla	chair
el sillón / **la butaca**	armchair
el sofá	sofa
el cojín	cushion
la mecedora	rocking chair
la mesita	coffee table
el cenicero	ashtray
la librería	bookcase
la estantería	bookcase, shelving
el estante	shelf
el mantel	table cloth
la chimenea	fire place, chimney
el vídeo	video recorder
la cinta de vídeo	video cassette
la televisión	television
la tele	TV

el televisor	television set
el mando a distancia / **el control remoto**	remote control
el estéreo / **el equipo de música**	stereo, hi-fi
los altavoces	speakers
el radiocasete	radio-cassette
el tocadiscos	record player
el ordenador	computer
el disquete	floppy disk
grabar	to record
la marca	make, brand
poner (pongo)	to put on, switch on
apagar, quitar	to switch off

f El dormitorio y cuarto de trabajo

The bedroom and study

la cama individual	single bed
la cama { **de matrimonio** / **doble** }	double bed
la cuna	cot, cradle
la litera	bunk bed
la almohada	pillow
la sábana	sheet
la manta	blanket
el edredón	duvet, eiderdown
el colchón	mattress
la mesilla (de noche)	bedside table
la cómoda	chest of drawers
el tocador	dressing table
el cajón	drawer
el guardarropa	wardrobe
el armario	cupboard; wardrobe
el despertador	alarm clock
la radio	radio
la papelera	waste paper basket
el rincón	corner
la muñeca	doll
el abanico	fan
el oso de peluche	teddy bear
el juego	game

el juego de mesa	board game
el juguete	toy

g La cocina — The kitchen

el aparato	appliance
los electrodomésticos	electrical appliances
el lavaplatos } **el lavavajillas** }	dishwasher
el frigorífico } **la nevera** }	fridge
el congelador	freezer
el microondas	microwave oven
la cocina { **eléctrica**	electric cooker
{ **de gas**	gas cooker
el horno	oven
la lavadora	washing machine
la secadora	spin dryer

el armario	cupboard
el fregadero	sink
el paño de cocina } **el trapo** }	tea-towel
el delantal	apron
el sacacorchos	corkscrew

los utensilios	utensils
la bandeja	tray
la sartén	frying pan
la freidora	deep-fryer
la cacerola	saucepan
la cazuela	pan, pot
la tapadera	lid
el cazo	ladle/saucepan
el calentador de agua electrónico	kettle
el tostador	toaster
la picadora	food processor
el abrelatas	tin opener
el cubo de basura	bin

la taza	cup
el tazón	mug

el plato	plate
el plato hondo	bowl
el platillo	saucer
el jarro	jug
la tetera	teapot
la cafetera	coffee pot
los platos	crockery
los cubiertos	cutlery
el cuchillo	knife
el tenedor	fork
la cuchara	spoon
la cucharilla	teaspoon

el cogedor	dustpan
el cepillo	brush
la escoba	broom
la fregona	mop
el detergente	washing powder
el lavavajillas	washing-up liquid
la lejía	bleach
el cubo	bucket

h Las tareas domésticas — Household chores

las tareas domésticas ⎫ **las faenas de casa** ⎭	household chores
echar una mano	to lend a hand
fregar (friego) los platos ⎫ **lavar los platos** ⎭	to do the washing-up
secar los platos	to dry the dishes
hacer (hago) la cama	to make the bed
lavar (la ropa sucia)	to wash (the dirty clothes)
poner (pongo) la ropa en la lavadora	to put the clothes in the washing machine
sacar la ropa de la lavadora	to take the clothes out of the washing machine
tender (tiendo) la ropa ⎫ **colgar (cuelgo) la ropa** ⎭	to hang out the washing
planchar	to iron
la tabla de planchar	ironing board
la percha	coat hanger
hacer (hago) punto	to knit

arreglar ordenar	to tidy
limpiar	to clean
lavar el coche	to wash the car
quitar el polvo	to dust
barrer	to sweep
aspirar pasar la aspiradora	to vacuum, hoover
tirar la basura	to throw out the rubbish

poner (pongo) la mesa	to lay the table
quitar la mesa	to clear the table
hacer (hago) un café	to make coffee
hacer (hago) el té	to make tea
preparar la comida	to prepare the food
hacer la compra	to do the shopping
hacer una lista	to write a shopping list

el bricolaje	DIY
pintar	to paint
la brocha	paint brush
la escalera	ladder
las herramientas	tools
la caja de herramientas	tool box
el martillo	hammer
el clavo	nail
la llave	spanner
la tuerca	nut
el tornillo	screw
el destornillador	screwdriver
llamar al fontanero	to call the plumber

i La calefacción y el alumbrado

Heating and lighting

la calefacción (central)	(central) heating
la electricidad	electricity
el gas (ciudad)	(mains) gas
el interruptor	switch
el enchufe	plug, socket
el radiador	radiator
la luz	light
la lámpara	lamp

la bombilla	light bulb
la pantalla (de lámpara)	lampshade
el calentador	boiler
la estufa	stove
la estufa de gas	gas fire
la estufa eléctrica	electric fire

j Afuera — Outside

el terreno	ground, land
el jardín	garden
la puerta	gate
el patio	patio
la terraza	terrace
la barbacoa	barbecue

Te toca. 18

Describe esta casa y luego describe la tuya (o tu casa ideal), o si prefieres dibújala.

Describe this house and then your own house (or your ideal house), or draw it if you prefer.

Algunas preguntas útiles:

Some useful questions:

¿Es grande o pequeña?
¿Es una casa independiente o adosada?
¿Cuántas plantas tiene?

Te toca. 19

Ahora describe el interior de la casa. Algunas preguntas útiles:	*Now describe the inside of the house. Some useful questions:*

¿Cuántos cuartos hay en la planta baja?
¿Cuáles son?
¿Cuántas habitaciones hay arriba?
¿Qué hay en los cuartos?

el muro	wall (outside)
la tapia	garden wall
el césped	lawn
el estanque	pond
el cobertizo	shed
el invernadero	greenhouse
los muebles de jardín	garden furniture
el seto (vivo)	hedge
el árbol	tree
el arbusto	shrub, bush
la planta	plant
la tierra	earth
plantar	to plant
regar (riego)	to water
cortar	to cut

cortar el césped	to mow the lawn
el cortacésped	lawnmower
podar	to prune
crecer (crezco) (*intr*)	to grow
arrancar	to pick/to pull up
arrancar las malas hierbas	to do the weeding
la maceta	flower pot

k Los animales domésticos — Pets

el perro	dog
el perrito	puppy
el gato	cat
el gatito	kitten
el caballo	horse
el conejo	rabbit
el conejillo de Indias / la cobaya	guinea-pig
el pájaro	bird
el loro	parrot
el periquito	budgie, budgerigar
el canario	canary
el gerbo, el jerbo	gerbil
el hámster	hamster
el ratón	mouse
la rata	rat
el pez de colores	goldfish
los peces tropicales	tropical fish
la tortuga	tortoise
la rana	frog
ladrar	to bark
maullar	to mew, miaow
juguetón/a	playful
manso/a	tame
feroz	ferocious
morder (muerdo)	to bite
macho	male
hembra	female
la pata	leg, foot, paw
el rabo / la cola	tail

los bigotes	whiskers
el pelo	coat, fur
la correa	lead
el collar	collar
la perrera	kennel
la jaula	cage
dar (doy) de comer	to feed
limpiar	to clean

3 *El ocio*   *Leisure activities*

a **El tiempo libre**   **Free time**

Look in the section on expressing your opinion on pages 84–87 to say exactly what you want!

el pasatiempo	pastime
las aficiones	pastimes, hobbies
mi tiempo libre	my free time
la diversión	enjoyment, entertainment/ hobby, pastime
ser (soy) aficionado/a a	to enjoy (something)
interesarse por/en	to be interested in
el interés	interest
interesante	interesting
no me interesa (la escultura)	I'm not interested (in sculpture)
me interesan (los museos)	I'm interested (in museums)
práctico/a	practical
ser (soy) socio/a	to be a member
pertenecer (pertenezco)	to belong
participar en	to take part in
organizar	to organize
tener lugar	to take place

b **Hacer una cita por teléfono**   **Arranging a meeting by phone**

llamar por teléfono (a alguien)	to telephone (someone)
telefonear (a alguien)	to telephone (someone)
marcar un número	to dial a number

el número de teléfono	phone number
el prefijo	code
descolgar (descuelgo) el teléfono	to lift the receiver
contestar	to answer
el tono	dialling tone
la línea está ocupada	the line is engaged
está comunicando	it's engaged
equivocarse de número	to dial the wrong number
no contesta nadie	there is no reply
el contestador automático	answering machine
volver a llamar	to call back
colgar (cuelgo)	to hang up
¡diga!/¡dígame!	hello!
¿está Carmen, por favor?	is Carmen there, please?
soy Pedro	it's Pedro speaking
¿de parte de quién?	who's calling?
¿nos vemos el domingo?	shall we meet on Sunday?
¿estás libre?	are you free?
depende	that depends
estoy ocupado/a	I'm busy
¡qué pena!	what a pity!
¿vamos al cine?	how about going to the cinema?
¡estupendo!	great!
¿pasas a recogerme?	will you call for me?
¿dónde nos vemos?	where shall we meet?
¿a qué hora?	at what time?
hasta el domingo	see you on Sunday

c El deporte — Sport

la competición	competition
entrenarse	to train
jugar (juego)	to play
ganar	to win
vencer (venzo)	to win, beat
perder (pierdo)	to lose
empatar	to draw
estar (estoy) en forma	to be fit
me gustan los deportes	I like sports
no me gustan los deportes, excepto . . .	I don't like sports, except . . .

la natación	swimming
el/la deportista	sportsman/sportswoman
deportivo/a	sporty/sportsmanlike
el jugador/la jugadora	player

¿sabes nadar?	can you swim?
¿juegas en un equipo?	do you play in a team?
juego en el equipo de fútbol	I play in the football team
delantero	forward
mediocampista	midfielder
defensa	defender
portero	goalkeeper
¿dónde te entrenas?	where do you train?
nos entrenamos en el polideportivo	we train in the sports centre
¿cuántas veces juegas por semana?	how many times a week do you play?
juego (tres) veces	I play (three) times
¿cuándo practicas (el tenis)?	when do you practise your (tennis)?
lo practico los lunes	I practise on Mondays

el fútbol	football, soccer
el baloncesto	basketball
el rugby	rugby
el balonmano	handball
el voleibol	volleyball
el cricket, el críquet	cricket
el hockey (sobre hierba/hielo)	hockey (on grass/ice)
el bádminton	badminton
el tenis	tennis
el ping pong el tenis de mesa	table tennis
el béisbol	baseball
el golf	golf
la pelota vasca	pelota
el squash	squash

la gimnasia	gymnastics
el atletismo	athletics
el/la atleta	athlete
correr	to run
la carrera	race

la meta	finishing line
el cross	cross country running
el footing	jogging
la natación	swimming
el piragüismo	canoeing
el esquí (acuático)	(water) skiing
pescar	to fish
la esgrima	fencing
las artes marciales	martial arts
el alpinismo }	
el montañismo }	mountaineering, climbing
la equitación	horse riding
montar a caballo	to go horse riding
el jinete/la jineta	rider
el ciclismo	cycling
el monopatín	skateboard
patinar	to skate
el patinaje sobre hielo/ruedas	ice/roller-skating

el partido	match
el árbitro	referee
arbitrar	to referee
la liga	league
el campeonato	championship
la selección	team
el torneo	competition
la copa	cup
ser (soy) hincha del	to support, be a fan of
la Copa del Mundo/Mundial	World Cup
mundial	world-wide, universal
los Juegos Olímpicos	Olympic Games

marcar un gol	to score a goal
la victoria	win, victory
el campeón/la campeona	champion
la derrota	defeat
el empate	draw

Te toca. 20

Mira los dibujos y describe los deportes que te gustan a ti, y los que les gustan a otros miembros de tu familia y a tus amigos.

Look at the drawings and describe the sports you like, and which ones your family and friends like.

Ejemplos:

a mí me gusta . . .

y . . .

no me gusta . . .

a mis hermanos les gusta jugar . . .

odio . . .

Sigue con:

Continue with:

d Salir | Going out

salir (salgo)	to go out
¿qué haces en tu tiempo libre?	what do you do in your free time?
quedar con alguien	to arrange to meet s.o.
nos citamos delante del cine	we arranged to meet outside the cinema
ir (voy) al cine/al teatro	to go to the cinema/the theatre
comer en un restaurante	to eat in a restaurant

 For more places to go see section C 1 on pp 99–104

bailar	to dance
la discoteca	disco
la fiesta	party/festival
la sala de fiestas	night club
el club de deportes	sports club
el club de/para jóvenes ⎫ **el club de juventud** ⎭	youth club
la corrida de toros	bull-fight
ser (soy) socio/a	to be a member
dar (doy) una vuelta ⎫ **un paseo** ⎭	to go for a stroll

e El cine | Cinema

¿qué tipo de película te gusta?	what type of films do you like?
la película de ciencia ficción	science fiction film
de terror	horror
de dibujos animados	cartoon
de aventuras	adventure
de guerra	war
romántica/de amor	romantic
policíaca	detective
una película del oeste	a western
cómica	a comedy
el documental	documentary
la sesión	performance
la sesión de las ocho	the 8 o'clock showing

el estreno	première
estrenarse (se estrena)	to have its première, be shown for the first time
proyectar/poner (una película)	to show (a film)
la entrada	(entrance) ticket
el precio sin descuento	full price
la concesión	concessionary price
la localidad	seat, ticket
la fila	row
la taquilla	ticket office
el taquillero/la taquillera	ticket clerk
la butaca	stalls
la pantalla	screen
el anfiteatro	circle
hacer (hago) cola	to queue
doblar	to dub
una película doblada	dubbed film
una versión original	original version
con subtítulos	with subtitles
en blanco y negro	in black and white
en color	in colour
el anuncio	advertisement
el avance } **el tráiler**	trailer
pronto en su pantalla	coming soon
todos los públicos	U certificate
no recomendada para menores de 18 años	18 certificate
tratar de	to deal with, discuss, be about
¿de qué se trata esta película?	what is this film about?
se trata de	it is about
trata de la guerra	it is about the war
la historia	story
el argumento	plot, story line
la escena	scene
el actor/la actriz } **el/la artista**	actor/actress
la estrella	star
el director/la directora de cine	director

el productor/la productora	producer
rodar (ruedo) una película	to shoot a film
la producción	production
destacar	to stand out
la crítica	criticism/review
el crítico/la crítica	critic
criticar	to criticize

f El teatro — The theatre

ir al teatro	to go to the theatre
la obra de teatro	play
representar un papel } **hacer el papel de**	to play a part
la compañía de teatro	theatre group
el actor/la actriz	actor/actress
el drama	drama
la comedia	comedy
la tragedia	tragedy
dirigir	to direct
la representación	performance

reservar localidades/entradas	to book seats
la butaca	seat
el escenario	stage
las cortinas	curtains
las luces	lights
el maquillaje	make-up
el vestuario	costume
el decorado	scenery
el entreacto } **el intermedio**	interval
los aplausos	applause
aplaudir	to applaud
la salida (de socorro)	(emergency) exit

g La lectura — Reading

leer	to read
el lector/la lectora	reader
la lectura	reading
leo mucho	I read a lot
soy muy aficionado/a a la lectura	I'm a great reader, I love reading

leo poco	I don't read very much
no me interesan mucho los libros	I'm not much of a reader
hojear	to flick, look through

el libro	book
el capítulo	chapter
el título	title
el autor/la autora	author
el escritor/la escritora	writer
el narrador/la narradora	narrator
el personaje	character
el héroe/la heroína	hero/heroine

la novela policíaca	crime novel
de amor	romantic novel
de ciencia ficción	science fiction novel
histórica	historical novel
una historia	story
describir	to describe
la descripción	description
la intriga	plot
el desenlace	ending, outcome, denouement
la biografía	biography
la poesía	poetry
el poema	poem
el cuento	short story
la enciclopedia	encyclopedia
el diccionario	dictionary

h La prensa — The press

el kiosco/quiosco	kiosk
el periódico	newspaper
la revista	magazine
el diario	daily newspaper
el cómic / **el tebeo**	comic
cotidiano	daily
semanal	weekly
mensual	monthly
regional	regional
el/la periodista	journalist

el fotógrafo/la fotógrafa	photographer
la prensa amarilla/ sensacionalista	the tabloid press
el artículo	article
el reportaje	report, press coverage
los titulares	headlines
en primera página	on the front page

las noticias	news
la política	politics
la economía	economics
los sucesos	events, news item
los deportes	sports

i Pasatiempos — Pastimes

charlar con amigos	to chat to friends
jugar (juego) al ajedrez	to play chess
al dominó	dominoes
a las cartas	cards
a los dardos	darts
el billar	billiards
el billar americano	pool
el futbolín	table football

la cámara fotográfica	camera
la fotografía	photography
el carrete	film
el revelado	developing

los videojuegos	video games
el ordenador	computer
coleccionar	to collect
la colección	collection
la filatelia	stamp collecting
la costura	sewing
la cerámica	pottery

el claqué } **el zapateo**	tap dancing
el baile (moderno)	(modern) dance
bailar	to dance

j El arte — Art

el museo del arte	art gallery
la galería de arte	
la exposición	exhibition
exponer (expongo)	to exhibit, put on show

el cuadro	picture
el lienzo	canvas
dibujar	to draw
el dibujo	draw
pintar	to paint
la pintura	painting
el pincel	paintbrush
la pintura al óleo	oil painting
la acuarela	watercolour
el arte abstracto	abstract art
el bodegón	still life
el retrato	portrait
el paisaje	landscape

la escultura	sculpture
el escultor/la escultora	sculptor/sculptress
la estatua	statue
el busto	bust

k La música — Music

¿qué música te gusta?	what music do you like?
me gusta la música clásica	I like classical music
la música pop	pop
la música popular	folk
el jazz	jazz
el rap	rap
el reggae	reggae
el rock	rock

escuchar música	to listen to music
escuchar la radio	to listen to the radio
escuchar mi Walkman	to listen to my personal stereo

el instrumento	instrument
¿tocas un instrumento?	do you play an instrument?

toco el violín	I play the violin
la trompeta	trumpet
el violín	violin
el violonchelo	cello
el tambor	drum
la batería	drums, drum kit
la guitarra eléctrica/acústica	electric/acoustic guitar
el bajo	bass guitar
el contrabajo	double bass
la flauta	flute
la flauta dulce	recorder
el teclado	keyboard
el órgano	organ
el clarinete	clarinet
el oboe	oboe
las castañuelas	castanets
el músico	musician
la orquesta de cámara	chamber orchestra
la orquesta sinfónica	symphony orchestra
la orquesta de jazz	jazz band
la ópera	opera
la opereta	operetta
el ballet	ballet
cantar (en un coro)	to sing (in a choir)
el/la cantante	singer
la canción	song
el/la solista	soloist
el concierto	concert

Te toca. 21

Sopa de letras: Busca las palabras relacionadas con la música.

Word search: Look for the words to do with music.

ópera, canción, concierto, trompeta, violín, batería, guitarra, bajo, contrabajo, flauta, teclado, clarinete, castañuelas, oboe, cantante

```
C  S  N  P  A  M  G  O  D  L  I  R  F  A
O  C  N  V  I  O  L  I  N  O  N  T  T  U
N  O  O  R  U  B  A  J  O  P  T  U  R  I
A  G  R  N  C  O  N  C  I  E  R  T  O  A
T  U  R  T  T  E  T  U  L  R  I  L  M  I
S  I  K  I  G  R  E  L  U  A  I  N  P  R
E  T  D  F  C  L  A  R  I  N  E  T  E  A
U  A  F  O  A  T  U  B  I  D  A  D  T  T
Q  R  L  W  N  A  A  A  A  Ñ  E  U  A  E
R  R  A  Z  T  N  C  I  L  J  O  S  D  C
O  A  U  R  A  C  A  N  C  I  O  N  K  L
R  O  T  A  N  S  E  B  A  T  E  R  I  A
T  C  A  S  T  A  Ñ  U  E  L  A  S  L  D
A  N  R  A  E  D  N  U  M  E  R  O  S  O
```

I La televisión y la radio	Television and radio
mirar la televisión	to watch television
en la tele	on TV
la cadena	channel
cambiar de canal	change channel
el mando a distancia	remote control
la televisión por cable	cable TV
la (antena) parabólica	satellite dish
el canal codificado	coded channel
el descodificador	decoder
la suscripción	subscription

el anuncio	advertisement
la publicidad	advertising
el programa { **educativo** / **deportivo**	educational / sports } programme
la serie	series
el culebrón / **la telenovela** }	soap opera
el episodio	episode
el capítulo	episode, chapter
el tiempo	weather
el concurso	game show
el documental	documentary

el reportaje	report, news item
las noticias	news
la información	
el telediario	(television) news
las actualidades	current affairs
el/la oyente	listener
el/la televidente	viewer
la emisión	broadcast
en directo	live
grabar	to record
la grabación	recording
los medios de comunicación	media
el juego	gambling
jugar (juego)	to gamble
apostar (apuesto)	to bet
la apuesta	bet
la lotería nacional	national lottery
las quinielas	football pools
el cupón	coupon
la O.N.C.E.	National Blind People's Organisation

4 Las opiniones   Opinions

a En general   In general

la afirmación	statement
opinar	to think
la opinión	opinion
en mi opinión	in my opinion
pensar (pienso) que ...	to think that ...
creer (creo)	to believe
consentir (consiento) en	to agree to
tener (tengo) razón	to be right
estar (estoy) de acuerdo con	to agree with
aprobar (apruebo)	to approve
de acuerdo	
vale	all right, OK
¡cómo no!	

claro ⎫ **por supuesto** ⎬	of course
sí	yes
de hecho	indeed
la verdad	truth
¿verdad?	isn't it?
¿de veras?	really?
¡qué suerte!	how lucky!
¡qué bien!	how great!

b Gustos — Likes

gustar	to please
me gusta	I like it
me gustan	I like them
me gusta leer mucho	I like reading a lot
¿te gustan los idiomas?	do you like languages?
encantar	to love
me encanta(n)	I love it (them)
me encanta España	I love Spain
me encanta jugar al tenis	I love playing tennis
me encantan las patatas fritas	I love chips
me chifla(n)	I love it (them)

preferir (prefiero)	to prefer
me gusta(n) más	I prefer
preferido/a ⎫ **favorito/a** ⎬	favourite
bueno/a	good
mejor	better
el/la mejor	the best
agradable	pleasant
excelente	excellent
estupendo/a	great
fenomenal	fantastic
inolvidable	unforgettable
divertido/a	funny
curioso/a	odd
admirar	to admire
adorar	to adore

c Lo que no me gusta — Dislikes

no me gusta	I don't like
no me gusta el tenis	I don't like tennis
no me gusta nada	I don't like at all
en absoluto	not at all
no estoy de acuerdo con	I don't agree with
estar (estoy) en desacuerdo con	to disagree with
desaprobar (desapruebo)	to disapprove
negar (niego)	to deny
negarse (me niego) a	to refuse to
rechazar	to reject
¡qué va!	get away!, never!
¡de ninguna manera! ⎫	
¡de ningún modo! ⎭	no way!
¡ni hablar!	no way!, no chance!
¡qué barbaridad!	how awful!, my goodness!
¡caramba! ⎫	
¡Dios mío! ⎭	good heavens!
odiar	to hate
odioso/a	odious, hateful
detestar	to detest
me cae mal esa chica	I don't like that girl
inaguantable ⎫	
insoportable ⎭	unbearable
asqueroso/a	disgusting
¡qué asco!	how disgusting!
la vergüenza	shame
tener (tengo) vergüenza	to be embarrassed
me da vergüenza	it embarrasses me
vergonzoso/a	shameful/timid
¡qué pena!	what a pity/shame!
¡qué lástima!	what a pity!
menos mal que	it's just as well
peligroso/a	dangerous
¡qué susto!	how frightening! what a scare!
¡qué horror!	how horrible!
violento/a	violent
cruel	cruel
desagradable	unpleasant

d La indiferencia — **Indifference**

me da igual ⎫
me da lo mismo ⎬ it's all the same to me/I don't mind
no me importa ⎭

no tengo ni idea — I've no idea
como quieras — as you like

5 Festividades — Special occasions

a Los días de fiesta — **Public Holidays**

la Navidad	Christmas
el árbol de Navidad	Christmas tree
el turrón	nougat
el himno	hymn
el villancico	Christmas carol
el belén	crib
la Nochebuena	Christmas Eve
el día de Navidad	Christmas Day
¡Feliz Navidad! ⎫ ¡Felices Pascuas! ⎭	Merry Christmas!
la Nochevieja	New Year's Eve
la fiesta de fin de año	New Year's Eve party
el Año Nuevo	New Year's Day
¡Feliz Año Nuevo!	Happy New Year!
el nacimiento de Jesús	birth of Jesus
la Epifanía	Epiphany
el día de Reyes	(January 6th)
la cabalgata de los Reyes	Twelfth Night procession (of the Three Wise Men)
Viernes Santo	Good Friday
El Domingo de Resurrección	Easter Sunday
el día de San Valentín ⎫ el día de los enamorados ⎭	St. Valentine's Day
el carnaval	carnival
la Semana Santa	Holy Week, Easter
Pascua (de Resurrección)	Easter

Pascua (de los Judíos)	Passover
Hanouka	Jewish Festival of Light, Hannouka
el Ramadán	Ramadan
El Corpus	Corpus Christi

b Fiestas — Festivities

el cumpleaños	birthday
cumplir quince años	to be 15 years old
voy a cumplir dieciséis años	I'm going to be 16
el día de mi santo	my Saint's Day
el regalo	present
regalar	to give as a present
el aniversario	anniversary
el aniversario de boda	wedding anniversary
la primera comunión	first communion
la confirmación	confirmation
el bautizo	baptism
bautizar	to baptize

¡enhorabuena!	congratulations!
¡feliz aniversario!	happy anniversary!
¡feliz cumpleaños!	happy birthday!
¡feliz santo!	happy Saint's Day
¡felicidades!	congratulations!
la fiesta	party
celebrar	to celebrate

el cordero asado	roast lamb
el pavo	turkey
el champán	champagne
el anfitrión/la anfitriona	host, hostess
el invitado/la invitada	guest
brindar	to drink a toast
el brindis	toast
proponer (propongo)	to propose, suggest
sugerir (sugiero)	to suggest

el disfraz	fancy-dress
la fiesta de disfraces	fancy-dress party
disfrazarse (me disfrazo) de	to dress up in fancy dress as
los fuegos artificiales	fireworks
pasarlo bien	to have a good time

lo pasé muy bien	I had a great time
divertirse (me divierto)	to enjoy oneself
disfrutar de	to enjoy

Te toca. 22

Tu amigo/amiga te invita a una fiesta, a tomar algo, a ir al cine, a un concierto o ir a la piscina, pero no quieres ir; inventa una excusa para cada caso.	*Your friend invites you to a party, to go to a bar, to the cinema, to a concert or swimming, but you don't want to go; invent one excuse for each situation.*

Ejemplo:
Tu pareja: "Te invito a mi fiesta de cumpleaños".
Tú: "Lo siento mucho, pero no me encuentro bien."

6 *Las Vacaciones* *Holidays*

a En general **General**

las vacaciones	holiday, holidays
pasar las vacaciones	to spend the holidays
ir (voy) de vacaciones	to go on holiday
estar (estoy) de vacaciones	to be on holiday
las vacaciones de Navidad	Christmas holidays
de Semana Santa	Easter holidays
de verano	summer holidays
las vacaciones a mediados del trimestre	half-term holidays
veranear	to spend the summer holiday
el turismo	tourism
la agencia de viajes	travel agent's
unas vacaciones todo incluido ⎱ **un viaje organizado** ⎰	package holiday
el descanso	rest, break
descansar	to rest
el monumento	monument
los monumentos	sights, monuments

en el campo	in the countryside
el paisaje	scenery
en la playa	at the seaside
en la costa	
en la montaña	in the mountains
lejos de la ciudad	far from the city
tranquilo/a	calm, peaceful
cómodo/a	comfortable
incómodo/a	uncomfortable
visitar	to visit
la visita	visit
el horario	timetable
la hora de apertura/cierre	opening/closing time
la entrada	entrance, entrance ticket
pasar	to spend
pasar ocho días en la playa	to spend a week at the beach
viajar	to travel
el viaje	travel, journey
el viajero, la viajera	traveller
el alojamiento	accommodation
alojarse (me alojo) en	to stay at
me quedé en (un hotel/un albergue juvenil)	I stayed in (a hotel/a youth hostel)
alquilar una casa	to rent a holiday home
el alquiler	rental charge
el precio por día/semana/mes/año/persona	price per day/week/month/year/person
la fianza	deposit
reservar con antelación	to reserve in advance
confirmar la reserva	to confirm the reservation
la temporada alta	high season
la temporada baja	low season
inolvidable	unforgettable
pasarlo bien/mal	to have a good/terrible time
divertirse (me divierto)	to have a good time
pasarlo bomba	to have a great time
sacar fotos	to take photos
marcharse (me marcho)	to leave, go away

b En la playa — At the seaside

el mar	sea
la costa	coast
el puerto deportivo	marina
el acantilado	cliff
el faro	lighthouse
la marea	tide
la ola	wave
la orilla	shore
la playa	beach
la arena	sand
el castillo	castle
nadar	to swim
bañarse (me baño)	to bathe
el bañador / **el traje de baño**	swimming costume
el bikini	bikini
cambiarse (me cambio) de ropa	to change clothes
la sombrilla	sunshade, parasol
la tumbona	sunbed, sun lounger
tumbarse (me tumbo)	to lie down
tenderse (me tiendo) al sol	to sunbathe
la crema bronceadora	sun cream
la quemadura	burn
quemarse (me quemo)	to burn (oneself)
la protección	protection
los rayos del sol	sun's rays
los rayos ultravioleta	ultraviolet rays
las gafas de sol	sunglasses
tomar el sol	to sunbathe
broncearse (me bronceo)	to sunbathe, get a suntan
el bronceado	suntan
tostarse (me tuesto)	to tan oneself, go brown
ponerse (me pongo) moreno/a	to go brown
coger (cojo) una insolación	to get sunstroke
la toalla	towel
secarse (me seco)	to dry (oneself)

mojarse (me mojo)	to get wet
mojarse (me mojo) el pelo	to get one's hair wet
el agua está fría/caliente	the water is cold/hot
zambullirse (me zambullo)	to dive (into the water)
bucear	to dive (underwater)
flotar	to float
la merienda	picnic
el chiringuito	open air beach restaurant/bar
el socorrista	lifeguard
la resaca	undertow
tragar	to swallow
prohibido bañarse	bathing prohibited
ahogarse (me ahogo)	to drown
la gaviota	seagull
las algas	seaweed
la medusa	jellyfish
la concha	shell
el cangrejo	crab
el pez	(live) fish
el pescado	(dead) fish
los peces	fish
pescar	to fish
la caña de pescar	fishing rod
la vela	sailing
navegar	to sail
el remo	rowing
el windsurf	windsurfing
hacer (hago) surf	to surf, go surfing

c El alojamiento — Accommodation

el albergue (de juventud)	hostel
la casa de huéspedes	guest house
el hostal / **la pensión**	boarding house, cheap hotel
el hotel	hotel
el parador	Spanish state-owned hotel
un hotel de una estrella	a one-star hotel
un hotel de dos estrellas	a two-star hotel

un hotel barato/caro	a cheap/expensive hotel
un hotel de lujo	a luxury hotel
la pensión completa	full board
media pensión	half board

quedarse (me quedo) en un hotel	to stay in a hotel
pasar	to spend
una estancia	stay
cerrado por vacaciones	closed for (annual) holiday

reservar	to book
la reserva	booking
completo	fully booked
¿para cuántas noches?	for how many nights?
ocho días	a week
quince días ⎫ **una quincena** ⎭	a fortnight
¿con ducha o con baño?	with a shower or bath?
¿quiere desayunar?	would you like breakfast?
¿está incluido el desayuno?	is breakfast included?
el almuerzo	lunch
la comida	lunch
la cena	dinner, supper

una habitación	a room
individual/sencilla	single ⎫
doble	double ⎬ room
triple	triple ⎭
una cama ⎰ **individual/sencilla**	single bed
de matrimonio	double bed
plegable	folding bed
la litera	bunk bed
la cuna	cot
con baño	with a bathroom
ducha	shower
lavabo	wash basin
el wáter	toilet
el papel higiénico	toilet paper
el champú	shampoo
el aire acondicionado	air conditioning
la calefacción	heating
el agua corriente	running water

el agua caliente	hot water
el minibar	minibar
cómodo/a	comfortable
moderno/a	modern

For more vocabulary about rooms and furniture, see pages 59–68.

llenar una ficha	to fill in a form
el pasaporte	passport
el carnet de identidad	identity card
el depósito	deposit
la cuenta	bill
pagar	to pay (for)
el recibo	receipt
el cheque de viajero	traveller's cheque
la tarjeta de crédito	credit card
firmar	to sign
la firma	signature

el dueño/la dueña	owner
el/la recepcionista	receptionist
la recepción	reception
el hall	foyer
el ascensor	lift
el portero	porter
el botones	bellboy
el equipaje	luggage
la propina	tip
el servicio de habitación	room service
el servicio de lavandería	laundry service
la limpiadora	cleaner
el camarero/la camarera	waiter/waitress

el libro de reclamaciones	complaints book
quejarse (me quejo) de	to complain about

¿dónde está el interruptor?	where is the switch?
necesito un adaptador	I need an adapter
no funciona la televisión	the television doesn't work
no hay jabón	there's no soap
hay una gotera	there's a leak
el agua está fría	the water is cold
las toallas están sucias	the towels are dirty

hay mucho ruido	there's a lot of noise
la persiana está rota	the blinds are broken
el lavabo está atascado	the washbasin is blocked
no han hecho la cama	the bed hasn't been made
no han cambiado las toallas	they haven't changed the towels
he perdido la llave	I've lost the key
no puedo abrir la puerta	I can't open the door

d De cámping — Camping

ir (voy) de cámping	to go camping
hacer (hago) cámping acampar	to camp
el/la campista	camper
¿está autorizado el cámping?	is camping allowed?
pasé quince días en un cámping	I spent a fortnight on a campsite
el cámping	campsite/camping
la caravana	caravan
el cámping para caravanas	caravan site
la recepción	reception
supervisar	to supervise
pagar por adelantado	to pay in advance

¿hay sitio?	is there any room?
el sitio el lugar	place, spot
la tienda de campaña	tent
armar/montar una tienda	to put up a tent
desmontar una tienda	to take down a tent
la cuerda	rope
la estaca	peg
la tela impermeable	groundsheet
el saco de dormir	sleeping bag
el colchón de aire	airbed
la hamaca	hammock
la mochila	rucksack

el termo	thermos flask
el cubo	bucket
el fuego	fire
el hornillo de gas	camping gas cooker
la bombona	gas cylinder

la pila	kitchen sink
el agua (f) potable	drinking water
la toma de corriente	electric point
el abrelatas	tin-opener
cocinar	to cook
al aire libre	in the open air
la cerilla	match
la leña	firewood
buscar	to look for
encontrar (encuentro)	to find
preparar el fuego	to prepare the fire
encargarse (me encargo) de	to be in charge of
caminar	to stroll, walk
el botiquín	first-aid box
la linterna	torch
los servicios	toilets

Te toca. 23

Sopa de letras. Busca las 13 palabras relacionadas con las vacaciones.

Word search. Find the 13 words to do with holidays.

alojamiento	cama	pensión	baño	maletas	equipaje	albergue
individual	jabón	camping	ducha	pasaporte	hotel	

A	L	O	J	A	M	I	E	N	T	O	X	H	C
L	H	G	F	U	Q	N	A	D	B	Ñ	M	N	A
B	C	O	I	J	O	D	L	M	I	A	Y	G	M
E	S	E	T	C	U	I	X	J	A	B	O	N	P
R	A	R	H	E	J	V	K	L	I	U	Q	E	I
G	P	E	E	L	L	I	P	E	N	S	I	O	N
U	R	E	E	F	E	D	F	V	A	U	T	E	G
E	L	U	A	R	H	U	J	T	I	M	P	A	U
P	A	M	A	R	R	A	E	B	B	R	A	S	A
A	M	A	S	M	A	L	E	T	A	S	Z	C	H
R	A	S	C	D	P	F	G	H	E	Y	H	R	C
E	J	A	P	I	U	Q	E	R	P	N	O	O	U
J	R	Q	O	I	A	N	N	R	U	S	C	H	D
O	E	C	T	T	P	A	S	A	P	O	R	T	E

Te toca. 24

Vas a ir de camping por primera vez, con unos amigos: los dibujos os muestran lo que tenéis que llevar. Comprobad lo que tenéis que llevar.	You are going camping for the first time with some friends: the drawings show what you need to take. Can you remember how to say these things in Spanish? Check what you have to take.

Ejemplos: *Tenemos que llevar los sacos de dormir.*

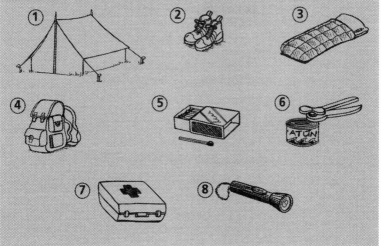

e El albergue para jóvenes — **Youth hostel**

el guardián	warden
el dormitorio	dormitory
el/la joven	youngster, youth
los jóvenes	young people
la tarjeta de afiliación	membership card
alquilar	to hire, rent
el alquiler	rent

f Los deportes de invierno — Winter sports

la montaña	mountain
montañoso	mountainous
esquiar	to ski
la estación de esquí	ski resort
la pista	ski-run, slope
el remonte	ski-lift
alquilar el equipo	to hire the equipment
el curso de esquí	ski course
peligroso/a	dangerous
la bajada	descent
en la bajada	on the way down
la subida	ascent
en la subida	on the way up
resbalarse (me resbalo)	to slip
deslizarse (me deslizo)	to slip, slide
agarrarse (me agarro)	to hang on
los Alpes	the Alps
los Pirineos	the Pyrenees

C: The world around us

1 Mi pueblo o ciudad   My home town

See useful adjectives on pages 176–177 for more words to describe the area.

a ¿Cómo es?   What is it like?

la capital	capital city
la ciudad	city, town
el centro	centre
el centro (de la) ciudad	town centre
el pueblo	small town, large village
el pueblecito	
la aldea	village
el aldeano, la aldeana	villager
grande	big, large
pequeño/a	small, little
nuevo/a	new
moderno/a	modern
antiguo/a	
viejo/a	old
tranquilo/a	peaceful
industrial	industrial
residencial	residential
comercial	business (*adj*)
el casco antiguo	old quarter
el casco urbano	inner city
la urbanización	housing estate, residential development
las afueras	the outskirts, suburbs
los alrededores	the outskirts, surroundings
el barrio	district, area of a city
el ambiente	atmosphere
la muchedumbre	crowd
el vaivén	hustle and bustle, coming and going

encontrarse (me encuentro) estar (estoy) situado/a	to be situated
¿dónde se encuentra? ¿dónde está?	where is it?
¿por dónde se va a (la catedral)?	how do you get to (the cathedral)?
¿está lejos?	is it far?
¿está cerca?	is it near?
¿se puede ir andando?	is it walking distance?

andar	to walk
aparcar	to park
cruzar	to cross
dar (doy) un paseo pasearse (me paseo)	to go for a stroll
doblar la esquina	to turn the corner
dirigirse (me dirijo) hacia	to go towards
aproximarse (me aproximo) acercarse (me acerco)	to approach
alejarse (me alejo)	to move away

¿cómo es tu ciudad?	what is your town like?
lo bueno de mi ciudad es/son...	the good thing about my city is...
lo malo de mi ciudad es/son...	the bad thing about my city is...
lo mejor de Canterbury es...	the best thing about Canterbury is...
lo peor de mi pueblo es...	the worst thing about my town is...

el/la habitante	inhabitant
la población	population
los residentes	residents
los vecinos	residents, neighbours
la vecindad	neighbourhood

la autopista	motorway
la carretera	main road
la carretera/ronda de circunvalación	ring-road
la calle	street
la acera	pavement
la callejuela	alley

la bocacalle	side street
la avenida }	
el paseo }	avenue, wide road
el cruce	crossroads
la zona peatonal	pedestrian precinct
el peatón	pedestrian
la rotonda	roundabout
la plaza	square
la plaza mayor	main square
el tráfico	traffic
los semáforos	traffic lights
el paso de peatones	zebra crossing
el paso a nivel	level crossing
la farola	street lamp
el aparcamiento	car park
el embotellamiento }	
el atasco }	traffic jam
el puente	bridge
el río	river
el puerto	port, harbour
la esquina	corner

la arquitectura	architecture
el edificio	building
la catedral	cathedral
la iglesia	church
la mezquita	mosque
la sinagoga	synagogue
el templo	temple
la capilla	chapel
la estatua	statue
la universidad	university
el juzgado }	
el tribunal }	court, tribunal
el ayuntamiento	town hall
el alcalde/la alcaldesa	mayor/mayoress
el castillo	castle
el alcázar	fortress
la torre	tower
el rascacielos	skyscraper
la oficina	office
la fábrica	factory, plant

el restaurante	restaurant
la cafetería	cafeteria
el bar	bar, café-bar
el café	café
la hamburguesería	hamburger restaurant
la pizzería	pizza restaurant
la pizza	pizza
la taberna	pub
el centro comercial	shopping centre
los grandes almacenes	department store
el escaparate	shop window
el mercado	market
el parque	park
el espacio verde	green space
el banco	bench
el jardín zoológico	zoo
el lago	lake
el paseo marítimo	promenade
el monumento	monument
el museo	museum
la galería	gallery
el museo de bellas artes	fine arts museum
el museo de historia natural	natural history museum
el museo de ciencias	science museum
el museo de la guerra	war museum
el tesoro	treasure, treasury
la pinacoteca	art gallery
la plaza de toros	bullring
el cine	cinema
el circo	circus
el teatro	theatre
la biblioteca	library
la ópera	opera house
el estadio de fútbol	football stadium
el campo de fútbol	football pitch, ground
el campo de golf	golf course
el parque de atracciones	amusement park
el polideportivo	sports centre
la piscina municipal	municipal swimming pool
la pista de atletismo	athletics track

la pista de hielo	ice rink
la pista de patinaje	skating rink

la oficina de objetos perdidos	lost property office
la comisaría	police station
la Cruz Roja	Red Cross
el hospital	hospital
el parque de bomberos	fire station
el cementerio	cemetery

b El turismo — Tourism

la oficina de turismo } de información }	tourist office
pedir (pido) información	to ask for information
la excursión con guía	guided tour
el/la turista	tourist
el turismo	tourism
el folleto	brochure
el plano	street map
el mapa	map
la lista de los hoteles	list of hotels

c Las direcciones — Directions

¿por dónde se va a la catedral?	how do you get to the cathedral?
¿hay un museo por aquí?	is there a museum around here?

seguir (sigo)	to continue, carry on
bajar	to go down
subir	to go up
pasar por	to go through, along
hay que subir la calle	you have to go up the street
tomar la segunda a la derecha	to take the second turning on the right
equivocarse de carretera	to take the wrong road
perderse (me pierdo)	to get lost

todo recto } todo seguido }	straight on
a la derecha } a mano derecha }	to the right
a la izquierda } a mano izquierda }	to the left

al fondo de la calle **al final de la calle** }	at the end of the street

frente a... **enfrente de...** }	opposite...
detrás de...	behind...
delante de...	in front of...
al lado de... **junto a...** }	next to...
en la esquina	on the corner
cerca de...	near...
lejos de...	far from...
entre...	between...
debajo de...	under...
encima de...	on top of...
sobre...	on...

alrededor de...	around...
a lo largo de...	along...
allí/allá	there
aquí	here
hasta...	as far as...
hacia...	towards...
fuera de...	outside...
dentro de...	inside...
en otra parte	elsewhere
en alguna parte	somewhere
en ninguna parte	nowhere
en todas partes	everywhere
cercano/a	near
lejano/a	distant

Te toca. 25

Explica dónde están estos lugares o cómo se llega hasta allí.

Explain where the following places are, or how to get to them.

Ejemplo: Para ir al castillo hay que...
El zoo se encuentra en..., al lado de...

➡

USTED ESTÁ AQUÍ

2 *El campo*   *The countryside*

a Descripción   Description

el paisaje	scenery
la naturaleza	nature
la vista ⎱ **el panorama** ⎰	view
la montaña	mountain
la sierra	mountain range
la cima ⎱ **el pico** ⎰	peak, summit
la cuesta	slope
la colina	hill
el valle	valley
el bosque	wood, forest
el árbol	tree
el roble	oak
el castaño	chestnut
el haya (f)	beech
el pino	pine

el abeto	fir
el tronco	trunk
la hoja	leaf
la corteza	bark
la rama	branch
la isla	island
el lago	lake
el río	river
la ribera del río	riverbank
el Duero	river Douro
el Tajo	river Tagus
la ría	estuary, ria
el arroyo	stream, brook
el coto de caza	game preserve
cazar	to hunt
la caza	hunting
la región	region
la provincia	province
el condado de Kent	county of Kent
en el campo	in the country
la meseta	meseta, plateau
el prado	meadow
el campo	field/countryside
el campesino/la campesina	peasant, countryman/woman
la finca	farm, country house/estate
el huerto	orchard
el sendero ⎫	path
el camino ⎭	

b Los árboles y las flores   Trees and flowers

Note: Trees are generally masculine form of fruit.
Eg: la manzana = apple
el manzano   = apple tree

el manzano	apple tree
el peral	pear tree
el olivo	olive tree
el naranjo	orange tree
el limonero	lemon tree
el viñedo	vineyard

la vid	vine
el arbusto	shrub, bush
la hierba	grass
la flor	flower
la rosa	rose
el clavel	carnation
el tulipán	tulip
el girasol	sunflower

c Los animales   **Animals**

el toro	bull
la vaca	cow
el ternero	calf
la oveja	sheep
el cordero	lamb
la cabra	goat
el cerdo	pig
el cerdito	piglet
la mula	mule
el caballo	horse
la yegua	mare
la llama	llama
el ganso	goose
el pato	duck
el pollo	chicken
la gallina	hen
el gallo	cockerel
el conejo	rabbit
el ciervo	stag, deer
el jabalí	wild boar
la ardilla	squirrel
el lobo	wolf
el zorro	fox
el oso	bear
el caracol	snail
la rana	frog
el lagarto	lizard
el tigre	tiger

el león	lion
el flamenco	flamingo
el elefante	elephant
el cocodrilo	crocodile
la jirafa	giraffe
el camello	camel
el mono	monkey
la serpiente ⎫ **la culebra** ⎭	snake
el gorila	gorilla
el tiburón	shark
la foca	seal
el delfín	dolphin
la ballena	whale
la tortuga gigante	giant tortoise, turtle
el pájaro	bird
el canario	canary
el petirrojo	robin
el cuervo	crow
la paloma	dove, pigeon
el gorrión	sparrow
el búho	owl
el pingüino	penguin
el águila (f)	eagle
el cóndor	condor
el insecto	insect
la abeja	bee
la avispa	wasp
la mosca	fly
el mosquito	mosquito
la araña	spider
el escarabajo	beetle
la hormiga	ant
la mariposa	butterfly
zumbar	to buzz
picar	to sting, bite
la pluma	feather
la garra	claw
la pata	foot, leg, paw

la cola ⎫ **el rabo** ⎭	tail
el nido	nest
el pico	beak
el ala (f)	wing

Te toca. 26

Describe los animales que viste en el zoo.

You have just been on a trip to the zoo; describe the animals you saw there.

Ejemplo: *Vi un león africano que era muy grande. Era muy lindo.*

3 *El tiempo* *Weather*

el pronóstico del tiempo	weather forecast
el norte	north
el este	east
el sur	south
el oeste	west
el noreste	north-east
el noroeste	north-west
el sureste	south-east
el suroeste	south-west
el clima	climate
la temperatura	temperature
templado/a	mild
agradable	pleasant
caliente ⎫ **caluroso/a** ⎭	hot

fresco/a	cool
frío/a	cold
glacial	icy
hace 40 grados	it's 40 degrees
hace buen/mal tiempo	the weather's fine/bad
el sol	sun
hacer sol	to be sunny
hace sol	it's sunny
soleado/a	sunny
brillar	to shine
el frío	cold
hace frío	it's cold
hace fresco	it's cool
tengo frío	I'm cold
el calor	heat
hace calor	it's hot
tengo calor	I'm hot
húmedo/a	humid
el cielo	sky, heaven
está despejado	it's clear
está cubierto	it's overcast
la sombra	shade, shadow
a la sombra	in the shade
al sol	in the sun
la niebla	fog
haber niebla	to be foggy
hay niebla	it's foggy
la neblina }	mist
la bruma }	
la nube	cloud
hay nubes }	it's cloudy
está nublado }	
la nubosidad	cloudiness, clouds
la tempestad }	storm
tormenta }	
el relámpago	lightning
el trueno	thunder
tronar (truena)	to thunder

el granizo	hail
llover	to rain
llover a cántaros	to rain cats and dogs, to pour down
llueve	it rains; it's raining
está lloviendo	it's raining
la lluvia	rain
el chubasco	shower
el aguacero ⎫ **el chaparrón** ⎭	downpour
la llovizna	drizzle
lloviznar	to drizzle

el rocío	dew
la escarcha	frost
el hielo	ice
helar (hiela)	to freeze, ice up
haber hielo	to be freezing
deshelar (deshiela)	to thaw
la nieve	snow
nevar	to snow
nieva	it snows; it's snowing
está nevando	it's snowing
la nevada	snow storm

la brisa	breeze
el viento	wind
hace viento	it's windy
soplar	to blow
el huracán	hurricane

Te toca. 27

Fíjate en los dibujos y escribe varias frases sobre el tiempo que hace en España y en el Reino Unido. Compara el tiempo que hace en estos dos países. Utiliza estas preguntas como ayuda:

Write some sentences about the weather in Spain and the U.K. Compare the weather in these two countries. Use these questions as help:

➡

¿Qué tiempo hace en el sur de España?
¿Qué tiempo hace en el norte de Inglaterra?
¿Qué tiempo hace en Escocia?

Ejemplo: ¿Qué tiempo hace en el sur de España?
Hace mucho calor.

①

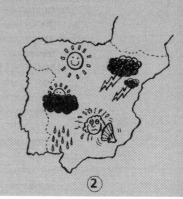

②

④ El medio ambiente   *Environment*

a La contaminación   **Pollution**

la ecología	ecology
el medio ambiente	environment
el ruido	noise
la contaminación	pollution
contaminar	to pollute
el contaminante	pollutant
sucio/a	dirty
la suciedad	dirt, filth
limpio/a	clean
la limpieza	cleanness, cleanliness
la basura	rubbish
destruir (destruyo)	to destroy
matar	to kill
construir (construyo)	to build, construct
la industria	industry
el polígono industrial	industrial estate

la fábrica	factory
el humo	smoke
el tubo de escape	exhaust
la energía (nuclear, solar)	(nuclear, solar) energy
la central eléctrica	electricity power station
la central nuclear	nuclear power station
la prueba nuclear	nuclear test
el reactor nuclear	nuclear reactor
los desechos radioactivos	radioactive waste
los desechos nucleares	nuclear waste
la lluvia ácida	acid rain
el efecto invernadero	greenhouse effect
la capa de ozono	ozone layer
el agujero de ozono	hole in the ozone layer
los recursos	resources
agotar	to exhaust
el pesticida	pesticide
el fertilizante químico	chemical fertilizer
la deforestación	deforestation
los daños al sistema ecológico	damage to the ecosystem
la contaminación del suelo/aire	soil/air pollution
reciclar	to recycle

b Los desastres — Disasters

el iceberg	iceberg
el desastre	disaster
la catástrofe	catastrophe
el terremoto	earthquake
el movimiento sísmico	earth tremor
la ola de calor	heatwave
el desprendimiento de tierra	landslide
la avalancha	avalanche
la sequía	drought
la inundación	flood, flooding
inundarse (se inunda)	to flood

5 De compras — Shopping

a En general — In general

la cesta	basket
el carrito	trolley
el monedero	purse
la cartera	wallet
el bolso	handbag
el/la cliente	customer
atender (atiendo) a	to deal with, attend to
hacer la compra	to do the shopping
comprar	to buy
gastar	to spend money
vender	to sell
comprar a plazos	to buy on hire purchase, in instalments

cerrar (cierro)	to close
abrir	to open
está cerrado/a	it is closed
está abierto/a	it is open
¿a qué hora abre la tienda?	what time does the shop open?
¿a qué hora cierra?	what time does it close?
gastar	to spend
el gasto	spending, expenditure
el consumo	consumption
el consumidor, la consumidora	consumer
consumir	to consume
los productos al consumidor	consumer products
la colección	collection
coleccionar	to collect

¿en qué puedo servirle?	can I help you?
quiero. . .	I want
quisiera. . .	I would like
media docena	half a dozen
póngame seis más	I'll have another half dozen
¿cuánto/a?	how much?
¿cuántos/as?	how many?
¿tiene aceitunas?	do you have any olives?
¿le queda pan?	do you have any bread left?

¿le quedan patatas?	do you have any potatoes left?
¿cuánto vale la leche?	how much is the milk?
¿cuánto cuesta este paquete?	how much does this packet cost?
un par de	a couple of
el pedazo **el trozo** }	piece
la ración	portion

¿cuánto es?	how much is it?
¿cuánto son?	how much are they?
déme	can I have? *(literally: "give me")*
¿es un regalo?	is it a present?
regalar	to give as a present
el regalo	present, gift
¿qué te regalaron tus padres para tu cumpleaños?	what did your parents give you for your birthday?
me regalaron una bici	they gave me a bike
¿qué le vas a regalar a tu madre?	what are you going to give your mother?
voy a regalarle un libro	I'm going to give her a book
¿cuánto pagaste?	how much did you pay?
pagué. . .	I paid
¿algo más?	anything else?
algo	something
nada más	nothing else
¿es todo?	is that all?
valer (vale)	to be worth, to cost
costar (cuesta)	to cost
demasiado caro/a	too expensive
muy barato/a	very cheap

b Las tiendas   Shops

el autoservicio	self-service
el centro comercial	shopping centre
el estanco	tobacconist's
los grandes almacenes	department store
el mercado	market
el quiosco	kiosk
el supermercado	supermarket
el videoclub	video shop
la boutique	boutique

la carnicería	butcher's
la charcutería	delicatessen
la churrería	shop selling *churros*
	(doughnut-like fritters)
la confitería	sweetshop
la farmacia	chemist's
la ferretería	ironmonger's
la frutería	fruiterer's, fruit shop
la lavandería	launderette
la librería	bookshop
la panadería	bakery
la papelería	stationery shop
la pastelería	cake shop, confectioner's
la peluquería	hairdresser's
la perfumería	perfume shop
la pescadería	fishmonger's
la relojería	watchmaker's
la joyería	jeweller's
la juguetería	toy shop
la sastrería	tailor's
la tienda de comestibles }	
la tienda de ultramarinos }	grocer's
la tienda de deportes	sports shop
la tienda de discos	record shop
la tintorería	dry-cleaner's
la verdulería	greengrocer's
la zapatería	shoe shop, cobbler's

abrir	to open
cerrar (cierro)	to close
no abren hasta las diez	they don't open until ten o'clock
ir (voy) de escaparates	to go window-shopping
buscar (algo)	to look for (something)
la cosa	thing
el letrero	sign, notice

c En la tienda — In the shop

el precio	price
el descuento }	
la rebaja }	discount
las rebajas	sales
la ganga	bargain

a mitad de precio	at half price
la liquidación	clearance sale
el recibo	receipt
la garantía	guarantee
garantizar	to guarantee
la factura	invoice
la reclamación	complaint
el reembolso	refund
reembolsar	to refund
devolver (devuelvo)	to return, give back, refund
el/la gerente	manager
el dependiente, la dependienta	shop assistant
la caja	till, cash-desk
el cajero, la cajera	cashier
el/la cliente	customer
el tendero, la tendera	shopkeeper
el vendedor, la vendedora	salesman, woman
pagar	to pay for
¿cuánto es? } **¿cuánto le debo?**	how much do I owe you?
envolver (envuelvo)	to wrap up
¿me los puede envolver?	could you wrap them up for me?
cambiar	to change
un vale	a voucher
el departamento } **la sección**	section, department
el sótano	basement
la planta baja	ground floor
la primera planta	first floor
la segunda planta	second floor
el primer piso	first floor
el segundo piso	second floor
el tercer piso	third floor
el ascensor	lift
la escalera	stairs
la escalera mecánica	escalator
bajar	to go down
subir	to go up

d La comida   Food

➤ See Restaurant section on pages 32–37, where most foods are listed

la alimentación	food
los productos alimenticios	food products
los comestibles	foodstuffs
los alimentos congelados	frozen food
la calidad	quality
de precio asequible	at an affordable price

la carne	meat
el pescado	fish
las legumbres / las verduras	vegetables
la harina	flour
los productos lácteos	dairy produce
el pastel	cake
el dulce	sweet

e La cantidad   Quantity

el litro	litre
medio litro	half a litre
pesar	to weigh
el kilo/el kilogramo	kilo
dos kilos de...	two kilos of...
el gramo	gramme
cien gramos de...	100 grammes of...
doscientos cincuenta gramos / cuarto kilo	250 grammes
medio kilo de	half a kilo of
tres cuartos de kilo	750 grammes
una docena	a dozen
la lata	tin
la botella	bottle
el tarro	tub
el bote	jar, tub, pot
el paquete	packet
el tubo	tube
el cartón	carton
la bolsa	bag
la caja	box
una barra	loaf; bar
una loncha, lonja	slice

Te toca. 28

Fuiste de compras en España.
Compraste los artículos
siguientes. ¿En qué tienda
compraste cada artículo? ¡No
había supermercado!

You went shopping in Spain.
You bought the following things.
Where do you buy each item?
There was no supermarket to
go to!

Ejemplo: ¿Una barra de pan? – Compré la barra de pan en la
panadería.

Te toca. 29

Empareja los recipientes con
los artículos:

Match the containers with the
articles:

Ejemplo: una bolsa de patatas fritas.

una lata   una botella   un tarro   un bote   un tubo
un cartón   una bolsa   una caja   un paquete

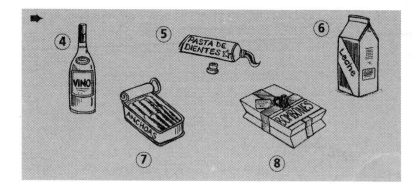

f La ropa   Clothes

corte y confección	dressmaking
la prenda de vestir	garment, article of clothing
los calzoncillos	underpants
el calcetín	sock
la camiseta	vest; T-shirt
el niki/el polo	T-shirt/polo shirt
la camisa	shirt
la corbata	tie
el pantalón (los pantalones)	trousers
el cinturón	belt
el traje	suit
el vaquero/los vaqueros **los tejanos** }	jeans
el pantalón corto	short trousers
la chaqueta **la americana** }	jacket
el jersey	jumper
la rebeca	cardigan
el abrigo	overcoat
el impermeable	raincoat
la cazadora de piel	leather jacket
la bufanda	scarf
el guante	glove
el gorro	cap
la gorra	(peaked) cap
la gorra de béisbol	baseball cap

el sombrero	hat
el chándal	tracksuit
la sudadera	sweatshirt
el pañuelo	handkerchief; headscarf
el paraguas	umbrella
el calzado	footwear
el zapato	shoe
la bota	boot
la bota de goma	wellington
la zapatilla	slipper
la sandalia	sandal
la alpargata	espadrille, rope-soled sandal
el pijama	pyjamas
la bata	dressing-gown
el camisón	nightie
el vestido	dress
la falda	skirt
el conjunto	outfit
la blusa	blouse
el sujetador	bra
las bragas	knickers
las medias	stockings
el panty/los pantis los leotardos	tights
el bolsillo	pocket
la cremallera	zip
el alfiler	pin
el botón	button
la manga	sleeve
con mangas cortas	short-sleeved
con mangas largas	long-sleeved
el collar	necklace
la joya	jewel
el anillo	ring
la pulsera	bracelet
el pendiente	earring
el broche	brooch

mal cosido/a	badly sewn
el agujero	hole
una carrera	ladder (in stocking)
gastado, gastada	worn out
remendar (remiendo)	to darn, repair, patch
reparar	to repair
pegar	to stick

See useful words section on page 177 for more words about colours.

la talla	size (dress, shirt etc.)
el tamaño	size (general)
el número	size (shoes, gloves)
¿qué talla?	what size?
pedir (pido)	to ask for
preguntar	to ask
decidir	to decide
el probador el vestuario }	changing room

probarse (me pruebo)	to try on
¿puedo probármelo?	can I try it on?
¿puedo probármelos?	can I try them on?
quitarse (me quito)	to take off
ponerse (me pongo)	to put on
ir (voy) bien	to suit
¿me va bien?	does it suit me?
te va muy bien	it suits you
no te van esos zapatos	those shoes don't suit you

calzar	to take (shoes)
¿qué número calza usted?	what size shoes do you take?
calzo el 42	I take size 42
son demasiado grandes	they are too big
pequeño/a	small
estrecho/a	narrow
ancho/a	wide
caber (quepo)	to fit into
apretar (aprieto)	to squeeze
apretado/a	tight

llevar	to wear
llevarse (me llevo)	to take

me lo llevo	I'll take it
quedarse (me quedo) con	to have, stick with
me quedo con ésta	I'll have this one

g En la tienda de discos   In the record shop

el disco	record
el compact disc } **el disco compacto**	compact disc
la cinta	tape
el casete	cassette
el elepé	LP
está rayado	it's scratched
el Walkman	Walkman
los auriculares	headphones

h La máquina fotográfica   The camera

revelar	to develop
el carrete	film (for camera)
el flash	flash
la pila	battery
necesito una pila	I need a battery
¿cuándo estará listo el carrete?	when will the film be ready?
¿cuánto tiempo tardará en revelarse?	how long will it take to develop it?

i ¿De qué está hecho?   What's it made of?

la madera	wood
el mármol	marble
el plástico	plastic
el papel	paper
el cartón	cardboard
el oro	gold
de oro	gold, golden
el oro de 18 quilates	18 carat gold
chapado en oro	gold-plated
chapado en plata	silver-plated
la plata	silver

los objetos de valor	valuables
la porcelana	porcelain, china
el barro	clay; mud
la arcilla	clay
el cristal	glass
el corcho	cork
el ladrillo	brick
la piedra	stone
el cemento	cement
el hormigón	concrete
el acero	steel
la tela	fabric, material
la lana	wool
el algodón	cotton
el nilón/el nailon	nylon
acrílico/a	acrylic
la piel	(fine) leather
el cuero	leather
de cuero	made of leather
la seda	silk
el raso	satin
el terciopelo	velvet
la goma	rubber
el plástico	plastic
la pana	corduroy
el ante	suede
una camisa de algodón	a cotton shirt
estampado/a	patterned
de rayas ⎫ **de listas** ⎭	striped
a cuadros	checked
liso/a	plain

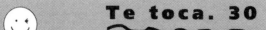

Te toca. 30

Sopa de letras. Busca los nombres de prendas de vestir. Hay once en total.

Word search. Search for the names of items of clothing. There are eleven in total. ➡

```
C C E B A E D A I K I N
A H S T H U U K O U N P
M A E R C A Z A D O R A
I Q T B S H N D V A E N
S U N V E S T I D O I T
A E A I G T E L U D I A
G T U F A G S H O J K L
A A G Z A P A T O S A O
S Q O W B A A A O Ñ E N
C A L Z O N C I L L O S
O S O R E U Q A V G H J
S O P A C A T A B R O C
```

Te toca. 31

Describe de qué está hecha cada cosa y de qué color es. Agrega otras descripciones si puedes.

Describe what each item is made of, give each one a colour and add other descriptions if you can.

Ejemplo: *una blusa = una blusa de algodón azul (lisa, y muy cara).*
una chaqueta = una chaqueta de lana beige

j En correos — At the Post Office

el correo	mail
la carta	letter
el sello	stamp
el sobre	envelope
la postal	postcard
la tarjeta	card
la dirección	address
el correo aéreo	air mail
mandar } enviar (envío) }	to send
echar una carta	to post a letter
recibir	to receive
el cartero	postman
el buzón	letter-box
el telegrama	telegram
recoger (recojo)	to collect
la recogida	collection
repartir	to deliver
el remite	sender's name and address
el apartado de correos	PO box, box number
el intercambio	exchange
pegar	to stick
lamer	to lick
escribir	to write
devolver (devuelvo)	to return, send back

el amigo, la amiga por correspondencia	pen-friend
cartearse (me carteo) con	to correspond with, write to
dejar de (hacer)	to stop (doing)
dejar de escribir	to stop writing
seguir (sigo) haciendo	to carry on doing
seguir (sigo) escribiendo	to carry on writing

muy señor mío, señora mía } estimado señor, estimada señora }	dear sir, madam
le saluda atentamente	yours faithfully
querido, querida	dear
hola	hello, hi
un abrazo	love

con cariño	with love
recuerdos a tus padres	regards to your parents
saludar	to greet
el saludo	greeting
saludos	greetings, regards

k El teléfono — The telephone

hablar	to speak, talk
charlar	to chat
el teléfono/los teléfonos	phone/phones; telephone number/numbers
llamar por teléfono (a alguien)	to telephone (someone)
marcar un número	to dial a number
telefonear (a alguien)	to telephone (someone)
el teléfono inalámbrico	cordless phone
el teléfono móvil	mobile phone
la cabina (telefónica)	telephone booth, box
la guía telefónica	telephone directory
la operadora	operator
¿cuál es tu número de teléfono?	what is your telephone number?
el prefijo / **el código**	code
la Telefónica	Spanish national telephone company
la central telefónica	telephone exchange
la conversación	conversation
la conferencia / **la llamada interurbana**	trunk/long distance call
el fax	fax
el contestador automático	answering machine
la llamada	call
la moneda	coin
introducir (introduzco)	to insert
el tono	tone
la ranura	slot
el auricular	receiver
descolgar (descuelgo)	to pick up the receiver
colgar (cuelgo)	to hang up

ponerse (me pongo)	to speak
¿se puede poner Juan?	can I speak to Juan?
¿está Antonio?	is Antonio in?
el mensaje ⎫	
el recado ⎭	message

está comunicando	it's engaged
contestar	to answer
no contestan	there's no answer
responder	to answer, reply
averiarse (se avería)	to break down
está averiado/a	it's out of order
funcionar	to work
no funciona	it's not working
llamar a cobro revertido	to make a reverse charges call
cortar	to cut off
la tarjeta telefónica	phonecard

I En el banco — At the bank

el dinero	money
el marco alemán	Deutschmark
el dólar	dollar
el franco	franc
la peseta	peseta
el duro	5 peseta coin
la libra (esterlina)	pound (sterling)

la sucursal	branch
la ventanilla	window, counter
el cajero automático	cash-dispenser
el billete (de banco)	bank note
la moneda	coin
el dinero suelto	small change
en efectivo	in cash
el cambio	exchange, change
cambiar	to change
la divisa	currency

el director, la directora del banco	bank manager, manageress
el empleado, la empleada	employee
el cheque/el talón	cheque

el talonario	cheque book
cobrar un cheque	to cash a cheque
el cheque de viaje	traveller's cheque
la tarjeta de crédito	credit card
la tarjeta bancaria	bank card
la cuenta bancaria	bank account
el interés	interest
la comisión	commission
cobrar	to charge

el pasaporte	passport
caducar	to expire
la fecha de caducidad	expiry date
expedido en . . .	issued in . . .

6 *El crimen*   Crime

a El robo   Robbery

el atraco	hold-up
atracar	to hold up
la caja fuerte	safe, bank vault
fugarse (me fugo)	to flee
escaparse (me escapo)	to escape
forzar (fuerzo) la entrada	to break in
la alarma	alarm
sonar (suena)	to sound, ring
el robo	robbery
robar	to rob, steal
el ladrón, la ladrona	thief, robber
sospechoso/a	suspicious
el sospechoso, la sospechosa	suspect
observar }	to observe, notice
notar	

b La delincuencia   Delinquency

el/la delincuente	criminal, delinquent
la delincuencia	crime, delinquency
el gamberro, la gamberra	hooligan
el gamberrismo	hooliganism

c Los crímenes violentos — Violent crime

la pistola	pistol, gun
la escopeta	shotgun
la escopeta de cañones recortados	sawn-off shotgun
matar	to kill
la sangre	blood
sangrar	to bleed
la muerte	death
herir (hiero)	to wound, injure
el herido, la herida	wounded person
la herida	wound
grave	serious
disparar contra	to shoot at
la bala	bullet
la violación	rape
violar	to rape
el violador	rapist
el secuestro	kidnap; hijack
el secuestrador, la secuestradora	kidnapper; hijacker
la víctima	victim
amenazar	to threaten
la amenaza	threat
el arma (f)	weapon
el hacha (f)	axe
el cuchillo / la navaja	knife
apuñalar	to stab
el asesinato	killing, murder, assassination
asesinar	to murder, assassinate, kill
el asesino, la asesina	assassin
golpear / pegar	to hit, strike
atacar	to attack; to assault
estrangular	to strangle
el asesino/la asesina en serie	serial killer

d Las fuerzas del orden — The forces of law and order

la policía	police
el policía, la mujer policía	policeman, policewoman
el/la detective	detective
el guarda jurado, la guarda jurada	security guard
el/la testigo	witness
el/la criminal	criminal
el delito	crime, offence
denunciar (un crimen)	to report (a crime)
la denuncia	report
la pista	clue
las huellas dactilares	finger prints
la identificación	identification
identificar	to identify
descubrir	to discover
el descubrimiento	discovery
describir	to describe
la descripción	description
dar (doy)	to give
les di una descripción (del ladrón)	I gave them a description (of the thief)
quitar	to take
me quitaron el bolso	they took my bag
contener (contiene)	to contain
mi bolso contenía . . .	my bag contained . . .
pasar	to happen
ocurrir ⎫ suceder ⎭	to occur
tener lugar	to take place
¿cuándo tuvo lugar?	when did it take place?
ocurrió esta mañana	it happened this morning
el suceso	event
el acontecimiento	event, happening
asustarse (me asusto)	to be frightened
tener (tengo) miedo	to be afraid
llevarse (me llevo) un susto	to get a fright
la recompensa	reward
recompensar	to reward
la gratificación	reward (for finding something)
devolver (devuelvo)	to return, give back

detener (detengo)	to arrest
la detención	arrest
la cárcel } **la prisión** }	prison
encarcelar	to imprison
justo/a	just, fair
injusto/a	unjust, unfair
culpable	guilty
inocente	innocent
la justicia	justice
la injusticia	injustice
el juzgado } **el tribunal** }	court, tribunal
el juicio	trial
la pena de muerte	death penalty

Te toca. 32

Durante tus vacaciones en España viste un incidente muy grave: un atraco. Acompañas a un/una policía a la comisaría, donde describes a las dos personas que viste.

While on holiday in Spain you witnessed a serious incident: a bank raid. You accompany a policeman/woman to the police station, where you describe the two people you saw.

7 De viaje — Travel

a Los viajes en general — Journeys in general

¡buen viaje!	have a good time!
tener prisa	to be in a hurry
viajar en autobús	to travel by bus
tren	train
avión	plane
barco	boat
bicicleta	bike
perder (el tren)	to miss (the train)
la velocidad	speed
el kilómetro	kilometre
aparcar	to park
el aparcamiento	car park
el parquímetro	parking meter
el camión	lorry
la camioneta ⎫ la furgoneta ⎭	van
la moto	motorbike
el casco	helmet
la vespa ⎫ el vespino ⎭	scooter
caerse (me caigo)	to fall
la caída	fall

el taxi	taxi
llamar un taxi	to call a taxi
el/la taxista	taxi-driver
la parada de taxis	taxi-rank
el contador	meter

¿a cuántos kilómetros está?	how many kilometres away is it?
está a cien kilómetros	it's 100 kilometres away
hacer (hago) autostop	to hitch-hike
el/la autostopista	hitch-hiker

viajar	to travel
adelantar	to overtake
ir (voy) demasiado rápido	to go too quickly
ir (voy) a 120 kilómetros por hora	to do 120 kilometres an hour

frenar	to brake
temprano	early
tarde	late
lento/a	slow
la lentitud	slowness
lentamente	slowly
rápido/a	fast
la rapidez	speed
rápidamente	quickly
el viaje	journey, travel
viajar	to travel
durar	to last
¿cuánto dura el viaje?	how long does the journey take?
el viajero, la viajera	passenger, traveller
la distancia	distance
los medios de transporte públicos	public transport
el medio de transporte	means of transport
el sistema	system
el trayecto	journey
transportar	to transport
el camión	lorry
el camión con remolque	articulated lorry
llegar	to arrive
salir (salgo)	to leave, depart
el edificio	building

b El coche — The car

el vehículo	vehicle
el/la automovilista	driver
el aire acondicionado	air conditioning
el volante	steering-wheel
el cuentakilómetros / **el velocímetro**	speedometer
la palanca de cambios	gear-stick
la rueda	wheel
la rueda de repuesto	spare wheel/tyre
el neumático	tyre

reventarse (me reviento)	to burst
el faro	headlight
el intermitente	indicator
el parabrisas	windscreen
los limpiaparabrisas	windscreen-wipers
la ventanilla	window
el asiento	seat
el claxon	horn
tocar el claxon	to blow, sound one's horn
el embrague	clutch
embragar	to put the clutch in
el freno	brake
frenar	to brake
el acelerador	accelerator
acelerar	to accelerate
el motor	engine
la batería	battery
el radiador	radiator
arrancar	to start
pararse (me paro)	to stop
el tubo de escape	exhaust pipe
el retrovisor	rear-view mirror
el maletero	boot
el capó	bonnet
la baca	roof-rack
el parachoques	bumper
la matrícula	number-plate, registration number
tenía matrícula de Sevilla	it had a Seville registration number

el conductor, la conductora	driver
conducir (conduzco)	to drive
el carnet de conducir	driving licence
la autoescuela	driving school
¿sabes conducir?	can you drive?
el pasajero, la pasajera	passenger
el cinturón de seguridad	seatbelt
abrochar	to fasten
la pieza de recambio	spare part
de segunda mano	second hand

el kilometraje (ilimitado)	(unlimited) mileage

la tarifa	rate
la tarifa normal	standard rate
el seguro	insurance
la póliza	policy
a todo riesgo	comprehensive
contra terceros	third party

c En la gasolinera — At the petrol station

la estación de servicio	service station
la gasolina	petrol
la gasolina súper	four-star petrol
la gasolina normal	three-star petrol
sin plomo	unleaded
está lleno	it's full
¡llénelo, por favor!	fill it up, please
el depósito	tank
cargar la batería	to charge the battery
el gas-oil / el gasóleo	diesel
el motor diesel	diesel engine
el aceite	oil
el nivel	level
comprobar (compruebo)	to check
¿me podría comprobar el aceite?	could you check my oil?
la presión de los neumáticos	tyre pressure
inflar	to blow up, inflate
¿le podría poner más agua?	could you put in some more water?
la bomba	pump

d Los problemas y accidentes — Problems and accidents

el problema	problem
la avería	breakdown
averiarse (se avería)	to break down
averiado/a	broken down
la grúa	breakdown truck
funcionar	to work
no funciona	it's not working
no arranca	it won't start

está atascado/a	it's stuck
el pinchazo	puncture
el neumático está pinchado	the tyre has a puncture
tener (tengo) un pinchazo	to have a flat tyre
el gato	jack
romper	to break
está roto/a	it's broken
el mecánico, la mecánica	mechanic
el taller mecánico	workshop, garage (for repairs)
arreglar } **reparar**	to fix, repair
frenar en seco	to slam the brakes on
el accidente	accident
la colisión	collision
chocarse (me choco) con } **estrellarse (me estrello) con**	to crash into
deslizarse (me deslizo) } **patinar**	to skid
quedarse (me quedo) sin gasolina	to run out of petrol
atropellar	to knock down
el muerto, la muerta	dead person
el herido, la herida	injured person
la ambulancia	ambulance
la herida	injury, wound
desmayarse (me desmayo)	to faint
el hospital	hospital
los bomberos	firemen
el peligro	danger
peligroso/a	dangerous
la velocidad	speed
el exceso de velocidad	speeding
el límite de velocidad } **la velocidad máxima**	speed limit
exceder la velocidad permitida	to exceed the speed limit
ir (voy) a gran velocidad	to speed along
¿a qué velocidad ibas?	what speed were you going at?
iba a 90 kilómetros por hora	I was going at 90 kmph.

e Las carreteras y el tráfico — Roads and traffic

la carretera	main road
la carretera nacional	A-road
la autopista	motorway
el peaje	toll
la autovía	dual carriageway
el carril	lane
la salida	exit
el área (f) de descanso	rest area

la calle	street
la acera	pavement
la plaza	square
la farola	streetlight, lamppost
el/la transeúnte	passer-by
el paso de peatones	pedestrian crossing
el paso de cebra	zebra crossing
el paso a nivel	level crossing

la rotonda	roundabout
el semáforo	traffic lights
la flecha	arrow
la esquina	corner
la curva (peligrosa)	(dangerous) bend
doblar la esquina	to turn the corner
la señal	sign

el cruce / la encrucijada	crossroads
adelantar	to overtake
retroceder	to reverse
detener(se)	to stop
el embotellamiento / el atasco	traffic jam
la caravana	tailback
el tráfico / la circulación	traffic
el desvío	diversion
desviar	to divert, to re-route
el/la ciclista	cyclist

prohibido adelantar	no overtaking

prohibido aparcar	no parking
prohibido el paso	no entry
la multa	fine
multar	to fine
ceder el paso	to give way
las obras	roadworks
el desprendimiento de tierra	landslide
el hielo	ice

Te toca. 33

Escribe las diferentes partes del coche. en español.

Label this car with as many Spanish words as possible.

Ejemplo: *el parabrisas*

Te toca. 34

Empareja las señales con las descripciones:

Match up the signs and descriptions:

Ejemplo: *Curva peligrosa.*

1 cruce; encrucijada
2 prohibido el paso
3 velocidad máxima
4 prohibido aparcar

5 proyección de gravilla
6 firme irregular o firme en mal estado
7 prohibido adelantar
8 paso a nivel

➡

f El ferrocarril	**The railway**
RENFE = Red Nacional de Ferrocarriles Españoles	Spanish national railway network
el tren	train
la estación de trenes	train station
llegar a	to arrive at
salir (salgo) de	to depart from
la llegada	arrival
la salida	departure
la taquilla	ticket-office
el billete	ticket
el billete de ida y vuelta	return ticket
el billete sencillo **el billete de ida** }	single ticket
reservar	to book
un asiento reservado	reserved seat
sacar un billete	to get a ticket
la tarifa	rate, tariff
el jefe de estación	station-master
el jefe de tren	guard
la consigna	left luggage office
la consigna automática	left-luggage locker
el tren	train
el AVE = (el tren de) alta velocidad	Spanish high-speed train
el TALGO	Spanish express train
el expreso	long-distance train
el tren de largo recorrido	long-distance train

el tren de cercanías	local suburban train
el tren directo	through train
primera clase	first class
segunda clase	second class
el departamento (no fumador)	(non-smoking) compartment
el compartimiento (fumador)	(smoking) compartment
el pasillo	corridor
el asiento numerado	numbered seat
la red	luggage rack; network
la ventanilla	window
el vagón	carriage
la locomotora ⎫ **la máquina** ⎭	locomotive, engine
el coche-cama	sleeper
el coche-comedor ⎫ **el coche restaurante** ⎭	restaurant car
el revisor, la revisora	ticket-collector, inspector
la estación	station
la línea	line
el andén	platform
el riel	rail
la vía	track
descarrilar	to be derailed
la señal de alarma	alarm signal
asomarse (me asomo) a/por	to appear at, lean out of, look out of
prohibido asomarse por la ventana	no leaning out of the window
el horario de trenes	train timetable
llegar a tiempo	to arrive on time
cambiar de tren	to change trains
equivocarse (me equivoco) de tren	to get the wrong train
perder (pierdo) el tren	to miss the train
coger (cojo) el tren	to catch the train
hacer (hago) transbordo en	to change (trains) at
bajar del tren	to get down from the train
subir al tren	to get into the train
¿cuál es el más rápido?	which is the fastest?
¿cuántas horas tarda?	how many hours does it take?
¿a qué hora sale?	what time does it leave?
¿a qué hora llega?	what time does it arrive?

¿de qué andén sale?	which platform does it leave from?
¿hay que cambiar?	do you have to change?
el destino	destination
el tren con destino a Málaga	the train bound for Malaga/the Malaga train
el tren procedente de Sevilla	the train from Seville
está a punto de efectuar su entrada/salida	is about to arrive/depart

g El autobús — The bus

el autobús	bus
el autocar	coach
la estación de autobuses	bus station
la parada de autobús	bus stop
el conductor, la conductora	driver
el precio del billete	fare (cost)
el billete	ticket
guardar el billete	to keep the ticket
el bonobús	book of tickets
picar el billete	to punch the ticket
pulsar el botón	to press the button
una plaza libre	a spare, free, seat
de pie	standing
mucha gente	a lot of people
está lleno/a	it's full
está vacío/a	it's empty

h El barco — The boat

la barca de pesca	fishing boat
el barco de vela	sailing boat
el ferry	ferry
el buque	ship
el aerodeslizador	hovercraft
el puerto	port, harbour
embarcarse (me embarco)	to embark
desembarcarse (me desembarco)	to disembark
el muelle	quayside, wharf

el embarcadero	pier, jetty
el agua (*f*)	water
el mar	sea
marearse (me mareo)	to get seasick

la cubierta	deck
la vista	
el panorama	view
la estela	wake

el chaleco salvavidas	life-jacket
estar (estoy) agitado, agitada	to be rough
el mar estaba muy agitado	the sea was really rough

¡ Ir en avión   Flying

el helicóptero	helicopter
el avión	aeroplane
el aeropuerto	airport
la terminal	terminal
la llegada	arrival
la salida	departure

facturar	to check in
la facturación	check-in
el equipaje	luggage
la maleta	suitcase
la etiqueta	label
la bolsa	bag
el equipaje de mano	hand-luggage
la entrega de equipajes	luggage return

el billete	ticket
el pasaporte	passport
el visado	visa

pesar	to weigh
el exceso de peso	excess weight
el suplemento	supplement
pesado/a	heavy
ligero/a	light
el asa (*f*)	handle

abrir	to open
cerrar (cierro)	to close
la aduana	customs
el aduanero, la aduanera	customs officer
pasar por la aduana	to go through customs
declarar	to declare
algo que declarar	something to declare
nada que declarar	nothing to declare
el control	control
libre de impuestos	duty-free
la tienda libre de impuestos	duty-free shop
pagar derechos	to pay duty
la pantalla	screen
el horario	timetable
el último aviso	last call
aburrirse (me aburro)	to get bored
estaba aburrido/a	I was bored
el pasillo	passage-way, corridor
largo/a	long
la sala de espera	waiting-room
la salida	exit; departure
el vuelo	flight
el vuelo regular	scheduled flight
el vuelo chárter	charter flight
volar (vuelo)	to fly
la azafata	stewardess, air hostess
el auxiliar de vuelo	steward
el/la piloto	pilot
el capitán, la capitana	captain
el asiento	seat
asientos para { fumadores	smokers' seats
no fumadores	non-smokers' seats
la fila	row
el servicio	toilet; service
el cinturón de seguridad	safety-belt
abrocharse (me abrocho)	to fasten
el chaleco de salvavidas	life-jacket

despegar	to take off
la pista de aterrizaje	runway
aterrizar	to land
el aterrizaje	landing
a la derecha	on the right
a la izquierda	on the left
al fondo	at the back
enfrente de	opposite
la ventanilla	window
retrasarse (me retraso)	to be delayed
el avión se retrasó por la niebla	the plane was delayed by fog
el motor	engine
el ala (f)	wing
el suelo	ground
el aterrizaje forzoso	emergency landing
la turbulencia	turbulence
tener (tengo) miedo	to be afraid
el horror	horror
el secuestro	kidnap; hjacking
el secuestrador, la secuestradora	hijacker; kidnapper
el rescate	rescue; ransom
rescatar	to rescue; ransom
el incendio	fire
incendiarse (se incendia)	to set on fire
esconder	to hide
el contrabando	smuggling; smuggled goods
el/la contrabandista	smuggler

Te toca. 35

Da tu opinión sobre los siguientes medios de transporte.

Give your opinion of the following forms of transport.

Te toca. 36

Una sopa de letras sobre el ferrocarril. Busca las siguientes palabras:

Complete the word search on railways. Look for the following words:

> consigna, compartimiento, andén, salidas, recorrido, procedente, vagón, riel, llegada, locomotora, alta velocidad

S	E	R	S	A	L	I	D	A	S	N	T	R	U
C	O	R	E	L	L	E	G	A	D	A	N	A	O
M	E	R	B	T	H	N	D	V	A	E	T	N	A
A	E	R	T	A	Y	T	U	L	O	I	L	D	I
N	I	K	I	V	T	E	L	U	D	I	N	E	R
P	R	O	C	E	D	E	N	T	E	K	A	N	A
A	O	P	O	L	L	U	N	I	D	A	D	E	S
S	R	E	C	O	R	R	I	D	O	E	U	Q	E
V	V	E	L	C	O	N	S	I	G	N	A	D	F
I	A	H	L	I	R	A	L	N	Y	I	J	K	L
R	G	P	A	D	S	E	N	I	T	E	C	L	A
C	O	M	P	A	R	T	I	M	I	E	N	T	O
A	N	R	A	D	D	N	U	M	E	R	O	S	E
S	U	J	E	L	O	C	O	M	O	T	O	R	A

D: The world of work

a Trabajos temporales — Casual jobs

el día festivo / el día de fiesta	holiday
una fiesta nacional	public holiday
el día laborable	weekday, working day

trabajar de recepcionista	to work as a receptionist
camarero/a	waiter/waitress
cajero/a	cashier
ser empleado/a en una oficina	to work in an office

b Cuando deje el colegio — When I leave school

terminar en el colegio	to finish at school
dejar el colegio	to leave school
echar de menos	to miss
tener ganas de	to feel like, to want to
cuando deje el colegio,	when I leave school,
iré a la universidad	I'll go to university
buscaré un trabajo	I'll look for a job
me apuntaré al paro	I'll go on the dole

el futuro	future
pensar (pienso) hacer . . .	to intend to do
tener (tengo) la intención de hacer . . .	I intend to do . . .
querer (quiero) hacer . . .	to want to do
quisiera ser futbolista	I'd like to be a footballer
llegar a ser . . .	to become
me gustaría llegar a ser famoso/a	I'd like to become famous
lograr (hacer)	to manage (to do)
conseguir (consigo) (hacer)	to manage (to do), succeed in (doing)
hacer (hago) el servicio militar / hacer (hago) la mili	to do military service
me hace ilusión . . .	I'm looking forward to . . .

me hace mucha ilusión ir a la universidad	I'm really looking forward to going to university
la vida estudiantil	student life
me gustaría ir al extranjero	I'd like to go abroad
me encantaría estudiar	I'd love to study
me haría ilusión viajar	I'd love to travel
el plan	plan
el proyecto	project, plan
la formación profesional	training professional
la escuela de formación profesional	polytechnic
la escuela de magisterio	teacher training college
la profesión	profession
la ambición	ambition
la universidad	university
el curso	course
la licenciatura	degree
la carrera	career; university degree
la carrera universitaria	university course
licenciarse (me licencio) en	to get a degree in
el licenciado, la licenciada	graduate
filosofía y letras	arts
ciencias	sciences
matricularse (me matriculo)	to enrol, register
el diploma	diploma
el doctorado	doctorate
la beca	grant
el préstamo	loan
el profesor universitario/la profesora universitaria	lecturer
el catedrático, la catedrática	professor
ir (voy) al extranjero	to go abroad
un año sabático	a year off
aprender	to learn
el aprendiz, la aprendiza	apprentice
el aprendizaje	apprenticeship
el programa	programme

c El mercado de trabajo

The job market

vender	to sell
comprar	to buy
diseñar	to design
construir (construyo)	to build
importar	to import
la importación	import
exportar	to export
la exportación	export
el producto	product
producir (produzco)	to produce
la oficina ⎱ **el despacho** ⎰	office
la empresa	firm
el negocio	business; company
los negocios	business
la compañía	company
la multinacional	multinational company
la fábrica	factory
el taller	workshop
imprimir	to print
la publicidad	advertising, publicity
buscar trabajo	to look for a job
solicitar un puesto	to apply for a job
presentar una solicitud	to make an application
la entrevista	interview
rechazar	to reject
la experiencia (laboral)	(work) experience
los conocimientos	knowledge
la habilidad	ability
la capacidad	capacity, ability, capability
capaz	capable
conseguir (consigo) un empleo	to get a job
el experto, la experta	expert
la referencia	reference
los requisitos	requirements
exigir (exijo)	to require
adjunto mi currículum vitae	I enclose my curriculum vitae

realizarse (me realizo)	to realize one's ambitions, fulfil oneself
la vocación	vocation
el anuncio	advertisement
colocarse (me coloco)	to get a job
la colocación	job
el trabajo } **el puesto de trabajo** }	work, job
el empleo	employment, job
la tarea	task
el oficio	job, profession
la posición	position

d Los empleos   Jobs

el abogado, la abogada	lawyer
el administrador, la administradora	administrator, manager
el aduanero, la aduanera	customs officer
el agricultor, la agricultora	farmer
el albañil	mason, bricklayer
el ama de casa (f)	housewife
el aprendiz, la aprendiza	apprentice
el aprendizaje	apprenticeship
el arquitecto, la arquitecta	architect
el basurero, la basurera	dustman, refuse collector
el bombero	fireman, firefighter
el camarero, la camarera	waiter, waitress
el camionero, la camionera	lorry driver
el capitán, la capitana	captain
el carnicero, la carnicera	butcher
el carpintero, la carpintera	carpenter
el cartero, la cartera	postman/woman
el casero, la casera	landlord
el charcutero, la charcutera	pork butcher; delicatessen owner
el/la chófer	driver
el científico, la científica	scientist
el cirujano, la cirujana	surgeon
el cocinero, la cocinera	cook
el criado, la criada	servant
el director, la directora	director, headteacher

el doctor, la doctora	doctor
el dueño, la dueña	owner
el empleado, la empleada (de banco)	(bank) employee
el empresario, la empresaria	businessman, businesswoman
el enfermero, la enfermera	nurse
el escritor, la escritora	writer
el farmacéutico, la farmacéutica	chemist
el fontanero, la fontanera	plumber
el fotógrafo, la fotógrafa	photographer
el frutero, la frutera	fruiterer, greengrocer
el funcionario, la funcionaria	civil servant
el granjero, la granjera	farmer
el guardia, la guardia	policeman, policewoman
el hombre/la mujer de negocios	businessman/businesswoman
el hotelero, la hotelera	hotelkeeper
el ingeniero, la ingeniera	engineer
el inspector, la inspectora	inspector
el jardinero, la jardinera	gardener
el jefe, la jefa	boss
el joyero, la joyera	jeweller
el lechero, la lechera	milkman, milkwoman
el librero, la librera	bookseller
el maestro, la maestra	primary school teacher
el marinero	sailor
el mecánico, la mecánica	mechanic
el médico, la médica	doctor
el minero, la minera	miner
el obrero, la obrera	workman, woman worker
el panadero, la panadera	baker
el pastelero, la pastelera	confectioner; pastrycook
el patrón, la patrona	owner
el peluquero, la peluquera	hairdresser
el pescadero, la pescadera	fishmonger
el pescador, la pescadora	fisherman/woman
el pintor, la pintora	painter
el profesor, la profesora	teacher
el propietario, la propietaria	owner
el psicólogo, la psicóloga	psychologist
el sastre, la sastra	tailor
el secretario, la secretaria	secretary

el técnico/la técnica	technician
el traductor, la traductora	translator
el vendedor, la vendedora	salesman, saleswoman
el verdulero, la verdulera	greengrocer
el zapatero, la zapatera	shoemaker, cobbler
el/la electricista	electrician
el/la gerente	manager, manageress, director
el/la comerciante	merchant
el/la corresponsal	correspondent
el/la dentista	dentist
el/la florista	florist
el/la intérprete	interpreter
el/la juez	judge
el/la modelo	model
el/la periodista	journalist
el/la piloto	pilot
el/la policía	policeman, policewoman
el/la psiquiatra	psychiatrist
el/la recepcionista	recepcionist
el/la representante	representative
el/la soldado	soldier
el/la viajante	travelling salesman/woman
el/la modista	dressmaker
soy ingeniero	I'm an engineer
¿cuál es tu profesión? ⎫	
¿en qué trabajas? ⎭	what's your job?
¿qué hace tu madre?	what does your mother do?
¿en qué consiste tu trabajo?	what does your job consist of?
ganarse (me gano) la vida	to make, earn a living

e Las finanzas / Finances

ganar	to earn
cobrar	to earn, charge
el sueldo	salary
aumentar	to increase
la paga	wages
la propina	tip
el salario	wages, pay
semanal	weekly
mensual	monthly
anual	annual

por semana	per week
al mes	per month
al año	per year
la prima	bonus
los gastos	expenses
gastar	to spend
ahorrar	to save
la remuneración	remuneration
bien remunerado/a	well remunerated
pagar	to pay (for)
el contrato	contract
agotar	to exhaust
agotador, agotadora	exhausting
aburrido/a	boring
interesante	interesting
entretenido/a	amusing
trabajador, trabajadora	hard-working
puntual	punctual
impuntual	unpunctual
serio/a	serious
dedicado/a	dedicated

Te toca. 37

Estudia estas definiciones y busca la profesión en las listas.

Study these definitions and find the relevant job they describe.

1 repara los coches

2 construye casas

3 traduce documentos

4 saca fotografías

5 te corta el pelo

6 te sirve en un restaurante

7 apaga los incendios

8 enseña en un colegio

9 diseña edificios

10 vende productos

11 hace operaciones

12 cuida de la gente enferma

13 trabaja en el ejército

14 nos cuida los dientes

15 arregla las tuberías

16 te hace un traje

f El desempleo — Unemployment

el paro el desempleo }	unemployment
estar parado/a estar en el paro }	to be unemployed
está desempleado	he is unemployed
en el paro	on the dole
recibir el subsidio de paro desempleo cobrar el paro }	to receive unemployment benefit
despedir (despido)	to sack
actual	present
mi trabajo actual	my present job

la dimisión	resignation
dimitir	to resign
la jubilación	retirement
jubilarse (me jubilo)	to retire
mi padre está jubilado	my father is retired

Te toca. 38

Escribe la forma femenina de las siguientes profesiones.

Write the feminine forms for the following professions.

1 el ingeniero
2 el taxista
3 el electricista
4 el juez
5 el fotógrafo
6 el periodista
7 el policía

8 el enfermero
9 el arquitecto
10 el recepcionista
11 el peluquero
12 el modelo
13 el profesor
14 el abogado

g La comunicación — Communication

la centralita	switchboard
la operadora	operator
la extensión	extension
el teléfono móvil	portable phone

el fax	fax
mandar un fax	to fax

For talking on the phone see pages 71–72 and 127–128

h La informática — Information technology

el ordenador	computer
encender (enciendo)	to switch on
apagar	to switch off
el ratón	mouse
la alfombrilla	pad
la pantalla	screen
La Enseñanza Asistida por Ordenador	Computer-Assisted Learning
el aula (f) de informática	computer room
la red	network
el hardware	hardware
el CD-ROM	CD-ROM
la base de datos	database
la edición electrónica	desktop publishing
la unidad de disco	disk-drive
los programas de aplicación didáctica	educational software
el correo electrónico	e-mail
el módem	modem
el paquete ⎱ **el juego de programas** ⎰	package
el gráfico de sectores	pie chart
la hoja de cálculo	spreadsheet
las telecomunicaciones	telecommunications
el tratamiento de textos	word-processing
el procesador de textos	word-processor

el monitor (en color)	(colour) monitor
el teclado	keyboard
la tecla	key
pulsar	to press
la barra del espacio	space bar
el cursor	cursor
la impresora	printer
imprimir	to print
está desconectado/a	it's off-line

está conectado/a	it's on-line
en negrita	in bold
en cursiva	in italics
subrayar	to underline
en mayúscula	in capitals, upper case
en minúscula	in small letters, lower case
el fichero	file
el disquete	floppy disk
el disco duro	hard disk
la palabra clave	keyword
la contraseña	password
cargar un programa	to load a program
el menú	menu
salvar	to save
borrar	to delete, erase

Te toca. 39

Identifica estas cosas relacionadas con el mundo de la informática.

Identify these items from the IT world.

E: The international world

a Los países y las nacionalidades	Countries and Nationalities
Europa	Europe
España	Spain
español, española	Spanish
las Islas Baleares	the Balearic Islands
Mallorca	Majorca
Menorca	Minorca
Ibiza	Ibiza
las Islas Canarias	the Canary Islands
Cataluña	Catalonia
Euskadi } el País Vasco	the Basque Country
Asturias	Asturias
Castilla	Castile
Extremadura	Estremadura
asturiano/a	Asturian
castellano/a	Castilian
canario/a	from the Canary Isles
vasco/a	Basque
catalán, catalana	Catalan, Catalonian
gallego/a	Galician
andaluz, andaluza	Andalusian
Inglaterra	England; Britain
inglés, inglesa	English; British
Gran Bretaña	Great Britain
británico/a	British
las Islas Británicas	British Isles
el Reino Unido	United Kingdom
(el país de) Gales	Wales
galés, galesa	Welsh
Escocia	Scotland
escocés, escocesa	Scottish
Irlanda	Ireland
irlandés, irlandesa	Irish
Irlanda del Norte	Northern Ireland

Francia	France
francés, francesa	French
Alemania	Germany
alemán, alemana	German
Italia	Italy
italiano/a	Italian
Grecia	Greece
griego/a	Greek
Portugal	Portugal
portugués, portuguesa	Portuguese
Holanda	Holland
holandés, holandesa	Dutch
Bélgica	Belgium
belga	Belgian
Dinamarca	Denmark
danés, danesa	Danish
Suecia	Sweden
sueco/a	Swedish
Finlandia	Finland
finlandés, finlandesa	Finnish
Austria	Austria
austríaco/a	Austrian
Noruega	Norway
noruego/a	Norwegian
Rusia	Russia
ruso/a	Russian
Polonia	Poland
polaco/a	Polish
Suiza	Switzerland
suizo/a	Swiss
Turquía	Turkey
turco/a	Turkish
las Américas	the Americas
Norteamérica } **América del Norte** }	North America
los Estados Unidos	the United States
los EE.UU.	USA
estadounidense } **americano/a** }	American
el Canadá	Canada
canadiense	Canadian

Latinoamérica } **América Latina** }	Latin America
latinoamericano/a	Latin American
Centroamérica	Central America
centroamericano,	Central American
centroamericana	
Méjico } **México** }	Mexico
mejicano/a } **mexicano/a** }	Mexican
Nicaragua	Nicaragua
nicaragüense	Nicaraguan
El Salvador	El Salvador
salvadoreño/a	Salvadorian
Guatemala	Guatemala
guatemalteco/a	Guatemalan
Costa Rica	Costa Rica
costarriqueño/a } **costarricense** }	Costa Rican
Panamá	Panama
panameño/a	Panamanian
Honduras	Honduras
hondureño/a	Honduran
América del Sur } **Sudamérica** }	South America
sudamericano/a	South American
Argentina	Argentina
argentino/a	Argentinian
Bolivia	Bolivia
boliviano/a	Bolivian
el Ecuador	Ecuador
ecuatoriano/a	Ecuadorian
Colombia	Colombia
colombiano/a	Colombian
Venezuela	Venezuela
venezolano/a	Venezuelan
el Perú	Peru
peruano/a	Peruvian
el Uruguay	Uruguay
uruguayo/a	Uruguayan
el Paraguay	Paraguay

paraguayo/a	Paraguayan
Chile	Chile
chileno/a	Chilean
el Brasil	Brazil
brasileño/a	Brazilian
el Caribe	Caribbean
caribeño/a	Caribbean
Cuba	Cuba
cubano/a	Cuban
la República Dominicana	the Dominican Republic
dominicano/a	Dominican
Puerto Rico	Puerto Rico
portorriqueño/a	Puerto Rican
las Antillas	West Indies
antillano/a	West Indian
África	Africa
africano/a	African
Guinea Ecuatorial	Ecuatorial Guinea
Sudáfrica	South Africa
sudafricano/a	South African
Marruecos	Morocco
marroquí	Moroccan
Argelia	Algeria
argelino/a	Algerian
Túnez	Tunisia
tunecino/a	Tunisian
Egipto	Egypt
egipcio/a	Egyptian
Irán	Iran
iraní	Iranian
Irak	Irak
iraquí	Iraqui
Israel	Israel
israelí	Israeli
Nueva Zelanda	New Zealand
neozelandés, neozelandesa	New Zealander
Australia	Australia
australiano/a	Australian

Asia	Asia
la China	China
chino/a	Chinese
el Japón	Japan
japonés, japonesa	Japanese
la India	India
indio/a	Indian
el Paquistán	Pakistan
paquistaní	Pakistani
el Mar Mediterráneo	Mediterranean Sea
muerto	Dead
Adriático	Adriatic
Pacífico	Pacific
Atlántico	Atlantic
Negro	Black
Rojo	Red
del Caribe	Caribbean
del Norte	North
Cantábrico	Bay of Biscay
el país de origen	country of origin
¿de dónde eres?	where are you from?
soy de Inglaterra	I'm from England
¿de qué nacionalidad eres?	what nationality are you?
soy inglés, inglesa	I'm English
soy mitad inglés y mitad galés	I'm half English and half Welsh
¿cuántos habitantes tiene?	how many inhabitants does it have?
¿cuál es la población de Escocia?	what's the population of Scotland?
¿dónde está?	where is it?
hispano/a	Hispanic
hispanoparlante **hispanohablante** }	Spanish-speaking
hay 371 millones de hispanoparlantes en el mundo	there are 371 million Spanish speakers in the world

el país	country
la nación	nation
nacional	national
internacional	international
la bandera	flag
el escudo	shield
el himno nacional	national anthem
la frontera	border

b Las Ciudades — Cities

For directions see section C1c on pages 103–104.

París	Paris
Londres	London
Edimburgo	Edinburgh
Dublín	Dublin
Burdeos	Bordeaux
Estocolmo	Stockholm
Bruselas	Brussels
Estrasburgo	Strasbourg
Roma	Rome
Lisboa	Lisbon
Atenas	Athens
Copenhague	Copenhagen
Moscú	Moscow
Nueva York	New York

hacia	towards
en	in, at
en París	in Paris
voy a Sevilla	I'm going to Seville

c El intercambio escolar — School exchange

el programa	programme, plan
la ciudad gemela	twin town
participar en	to take part in
mandar detalles	to send details
rellenar un formulario	to fill in a form
ir a buscar a (alguien)	fetch (s.o)
encontrarse (me encuentro)	to meet

me encontré con la familia	I met the family
¡bienvenido!	welcome!
deshacer (deshago) las maletas	to unpack
hacer (hago) las maletas	to pack
extranjero/a	foreigner
quedarse (me quedo) con	to stay with
me quedé con mi amigo/a	I stayed with my friend
llevarse (me llevo) bien/mal con	to get on well/badly with
me cayó mal	I didn't like him/her
me cayeron bien sus padres	I liked his/her parents
echar de menos a (alguien)	to miss (s.o.)
tengo muchas ganas de volver a verle/la	I'd really like to see him/her again
practicar mi español	to practise my Spanish
la pronunciación	pronunciation
hablar muy rápidamente	to speak very quickly
chapurrear	to speak badly
la costumbre	custom
probar (pruebo) comida diferente	to try different food
adaptarse (me adapto) a	to adapt to
acostumbrarse (me acostumbro) a	to get used to
el viaje me hace mucha ilusión	I'm looking forward to the trip
tener (tengo) suerte	to be lucky
tuve mala suerte	I was unlucky

d Las religiones — Religions

la religión	religion
ser (soy) religioso/a	to be religious
cristiano/a	Christian
católico/a practicante	practising Catholic
la Virgen María	the Virgin Mary
Jesús	Jesus
Jesucristo	Jesus Christ
Dios	God

el sacerdote	priest
anglicano/a	Anglican
protestante	Protestant
judío/a	Jew/Jewess; Jewish (adj.)
budista	Buddhist
Buda	Buddha
musulmán, musulmana	Muslim
Islam	Islam
islámico/a	Islamic
Mahoma	Mohammed
hindú	Hindu
sij	Sikh
ateo/a	atheist
agnóstico/a	agnostic
creer en	to believe in
¿crees en Dios?	do you believe in God?

e La familia real — The royal family

la familia real	royal family
real	royal
la monarquía	monarchy
el rey	king
la reina	queen
el infante	Spanish prince
la infanta	Spanish princess
el príncipe	prince
la princesa	princess
el duque	duke
la duquesa	duchess

f La constitución — The constitution

la república	republic
la libertad	freedom
la política	politics
el político, la política	politician
el gobierno	government
gobernar (gobierno)	to govern
el partido político	political party
las elecciones	elections
la autonomía	autonomy, self-government

las elecciones autonómicas	elections for autonomous regions
votar	to vote
el sondeo	poll

la oposición	opposition
las Cortes	Spanish Parliament
el Parlamento	Parliament
el ministro, la ministra	minister
el primer ministro, la primera ministra	prime minister
el ministerio	ministry
el presidente/la presidenta	president
el diputado/la diputada	member of parliament
el candidato/le candidata	candidate

la derecha	right wing
la izquierda	left wing
el/la derechista	right wing, right winger
el/la izquierdista	left wing, left winger
socialista	socialist
conservador/conservadora	conservative
liberal	liberal
socialdemócrata	social-democratic
comunista	communist
la democracia	democracy
demócrata	democratic

g La diplomacia — Diplomacy

el consulado	consulate
el cónsul	consul
la embajada	embassy
el embajador/la embajadora	ambassador
la Unión Europea	the European Union
el Mercado Común	Common Market
la OTAN	NATO
la ONU	UN
las negociaciones	negociations
negociar	to negociate
el/la representante	representative
el/la portavoz	spokesman/woman

h El terrorismo — Terrorism

la reivindicación	demand, complaint
reivindicar	to admit responsibility for
extremista	extremist
el atentado	act of terrorism
la alerta a la bomba	bomb scare
el coche bomba	car bomb
la explosión	explosion
la víctima	victim
los daños materiales	damage to property

el secuestro	kidnap
secuestrar	to kidnap
el rescate	rescue, ransom
secuestrar un avión	to hijack a plane
el pirata del aire secuestrador, secuestradora }	hijacker
el rehén	hostage

i La opresión — Oppression

la dictadura	dictatorship
el dictador	dictator
la represión	repression
explotar	to exploit
la explotación	exploitation
humillar	to humiliate, humble
el derecho	right
los derechos humanos	human rights

el movimiento	movement
protestar	to protest
la protesta	protest
la revolución	revolution
la manifestación	demonstration

j El Tercer Mundo — The Third World

la deuda	debt
el hambre (f)	starvation, hunger
morir (muero) de hambre	to starve to death
la pobreza	poverty

la falta de ⎫	lack of
la carencia de ⎭	
carecer (carezco) de	to lack
faltar	to be lacking

k Los conflictos — Conflicts

la paz	peace
la guerra (civil/nuclear/ mundial)	(civil/nuclear/world) war
el ataque	attack
el ejército	army
el soldado	soldier
las tropas	troops
el ejército (de tierra)	army
el Ejército del Aire	airforce
la Marina	navy
el bombardeo	bombing
la tregua	truce
el alto el fuego	ceasefire
el acuerdo	agreement
el tratado	treaty

l La sociedad — Society

la comunidad	community
social	social
la clase media	middle class
la clase alta	upper class
la clase baja	lower class
la clase obrera	working class
integrar	to integrate
colaborar	to collaborate
el marginado	down-and-out, deprived person
rico	rich
la riqueza	wealth
pobre	poor
la pobreza	poverty
los recursos	resources
la seguridad social	social security
la identidad	identity

la igualdad	equality
igual	equal
la desigualdad	inequality
desigual	unequal
la solidaridad	solidarity
la calidad de vida	quality of life
el nivel de vida	standard of living
el impuesto	tax
la raza	race
el racismo	racism

Te toca. 40

Sopa de letras. Busca los nombres de 13 países.

Word search. Find the names of 13 countries.

J	F	E	N	O	E	G	L	E	D	O	N	P	E
D	R	E	I	N	O	U	N	I	D	O	A	O	O
G	A	L	E	S	N	D	V	A	E	T	N	Ñ	V
D	N	Ñ	E	I	B	E	L	G	I	C	A	I	I
R	C	D	S	R	I	U	Ñ	L	U	R	C	S	O
I	I	T	A	L	I	A	T	E	K	A	N	A	G
R	A	E	D	A	M	E	J	I	C	O	O	S	S
R	E	C	O	N	R	I	Ñ	O	H	U	Q	E	E
E	S	T	A	D	O	S	U	N	I	D	O	S	S
J	U	L	I	A	A	L	N	Y	L	J	K	L	C
A	I	A	D	S	E	N	I	T	E	C	L	A	O
P	Z	P	E	S	P	A	Ñ	A	E	N	T	O	C
O	A	A	D	D	N	U	M	E	R	O	S	E	I
N	P	A	S	O	N	L	J	K	G	P	E	K	A

Te toca. 41

¿Puedes identificar los siguientes países y continentes?

Can you identify the following countries and continents?

Ejemplo:

Este es el mapa de España.

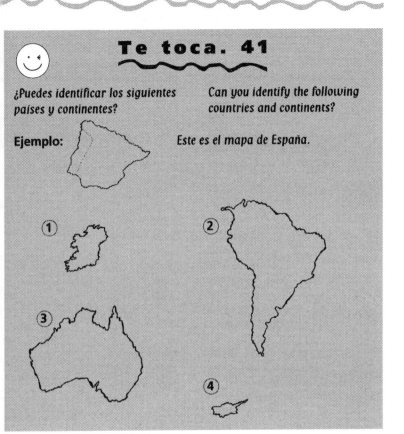

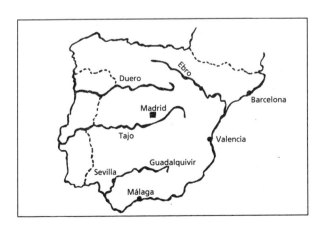

F: Useful words section

a Palabras imprescindibles	Some essential words
mi, mis	my
tu, tus	your
su, sus	his, her, your, its, their
nuestro/a, nuestros/as	our
vuestro/a, vuestros/as	your
conmigo	with me
contigo	with you
con él	with him
con ella	with her
con usted	with you
con nosotros	with us
con vosotros	with you
con ellos	with them (*m*)
con ellas	with them (*f*)
con ustedes	with you
este, esta, estos, estas	this, these
ese, esa, esos, esas	that, those
aquel, aquella, aquellos, aquellas	that, those (over there)
éste	this one
ése	that one
aquél	that one over there
bastante	quite
muy	very
demasiado	too
un poco	a little
algo	somewhat, rather
algún, alguno, alguna	some of
todo el mundo	everybody
cada	each
casi	almost, nearly
nadie	nobody
nada	nothing

¡de nada!	not at all!
en ninguna parte	nowhere
ahí	there
ningún, ninguno, ninguna	not one, none
los/las demás	the others
ambos/as	both
tal, tales	such
juntos/as	together
varios/as	some

cuyo/a, cuyos/as	whose

¿qué?	what?
¿qué pasa?	what's happening?
¿dónde?	where?
¿cuándo?	when?
¿quién?	who?
¿de quién?	whose?
¿cuál?	which?
¿cuánto?	how much?
¿cómo?	how?
¿por qué?	why?
¿por qué no?	why not?
¿adónde?	where (to)?

ya	now, already
aun	even
todavía, aún	still, yet
aún no	still not, not yet
ahora	now
ahora mismo	right now
después	after, afterwards
después de (+ *inf*)	after...
dentro de poco	shortly
en seguida	at once, right away
de nuevo	again

incluso	even, actually
a pesar de	in spite of
en realidad	in fact, actually
a propósito	intentionally, on purpose
al fin y al cabo	when all's said and done
ante todo	above all

ojalá	if only
debido a	due to, owing to
en primer lugar	in the first place, firstly
entonces	then; and so
por fin	finally, at last
por lo general	generally
sobre todo	above all, especially
acerca de	about
a través de	through
además	moreover
así que	so, therefore
no obstante	nevertheless
por lo tanto }	therefore
por eso }	
porque	because
a causa de	due to
puesto que	since
sin embargo	however
también	also, too
ya que	since
aunque	even though
más bien	rather
sí	yes
no	no
sino	but (when contradicting)
pero	but
si	if
o	or
u (*before words beginning with* **o/ho**, *eg:* **mujeres u hombres**)	or
y	and
e (*before words beginning with* **i/hi**, *eg:* **Francia e Inglaterra**)	and
ni ... ni	neither ... nor
tampoco	neither
para	for
bueno }	OK
vale }	

¡Por Dios!	for God's sake!
¡Oiga!	listen!; excuse me!
¡Ojo!	watch out!
¡Olé!	bravo!
¡Eso es!	that is!
¡Igualmente!	the same to you
¡Cuidado!	look out!, watch out!
¡Mucha suerte!	good luck!

naturalmente	obviously
normalmente	normally
desafortunadamente	unfortunately
exactamente	exactly
absolutamente	absolutely
completamente	completely
últimamente	lastly; lately
recientemente	recently

quizás **tal vez**	} perhaps, maybe
conforme	agreed; according to
de golpe	suddenly, unexpectedly
atrás	behind; previously
tras	behind; after
delante	in front; ahead
por todas partes	everywhere
está en todas partes	he/she is everywhere
al revés	upside down; inside out
cierto	sure, certain

Dr./Dra.	Dr
Sr./Sra.	Mr/Mrs
Sres.	Messrs
Srta.	Miss

b Verbos útiles — Useful verbs

acabar de (+ *inf*)	to have just (done) sth.
adivinar	to guess
admitir	to admit; to accept
agradecer (agradezco)	to thank; to be grateful for
alegrarse (me alegro)	to be glad, to be happy
aprovecharse de (me aprovecho)	to take advantage of

asegurar	to assure, to affirm; to secure
asustarse (me asusto)	to be frightened; to get alarmed
atar	to tie, to tie up
atreverse (me atrevo) a	to dare to
ayudar	to help
buscar	to look for
cansarse (me canso)	to get tired
certificar	to certify
compartir	to share
continuar (continúo) + *gerund*	continue
cubrir	to cover
dar (doy) la mano	to shake sb hands
darse (me doy) prisa	to hurry up
deber	to have, to must
debería	I ought/should
debería haber (hecho)	I ought to have (done), should have
dejar de (hacer)	to stop (doing)
desaparecer (desaparezco)	to disappear
desarrollar	to develop
desear	to desire
despedirse (me despido)	to say goodbye
disculparse (me disculpo)	to apologize
distinguir	to distinguish
dudar	to doubt
eliminar	to eliminate; to remove
encontrar (encuentro)	to find
enfadarse (me enfado) con	to get angry with
engañar	to cheat
equivocarse (me equivoco)	to be wrong
esperar	to hope; to wait (for)
estar (estoy) de pie	to be standing up
estar (estoy) en el extranjero	to be abroad
estar (estoy) equivocado	to be wrong
estar (estoy) seguro, segura	to be sure
estar (estoy) sentado, sentada	to be sitting down
evitar	to avoid
felicitar	to congratulate
girar	to turn; to twist
hablar (de)	to speak (about)
hacer (hago) falta	to be lacking
hay que (hacer)	one has to (do), one must (do)
indicar	to indicate

informar	to inform, tell
interpretar	to interpret
ir (voy) al extranjero	to go abroad
ir (voy) de paseo	to go for a walk
llorar	to cry
luchar	to fight
mandar (a uno hacer algo)	to order (s.o. to do sth)
marcharse (me marcho)	to leave
mentir (miento)	to lie, tell a lie
meter	to put
molestar	to annoy, to bother
mover (muevo) moverse (me muevo)	to move
oír (oigo)	to listen
oler (huele) bien/mal	to smell good/bad
organizar	to organize
parar de (hacer)	to stop (doing)
partir	to leave, depart
pedir (pido) (que alguien haga algo)	to ask (s.o. to do sth)
pedir (pido) prestado	to borrow
pedir (pido) un favor	to ask for a favour
pensar (pienso) mucho/poco	to think a lot/little
perdonar	to forgive, excuse
permitir	to permit, allow
pisar	to walk on; to step on
poder (puedo)	can, to be able to
recomendar (recomiendo)	to recommend
resultar	to prove, turn out
salvar	to save, rescue
sentarse (me siento)	to sit down
sentir (siento)	to be sorry; to feel
silbar	to whistle
soler (suelo)	to be in the habit of
solía (ir)	I used to (go)
solucionar	to solve
sonreír (sonrío) sonreírse (me sonrío)	to smile
suelo (ducharme)	I usually (have a shower)
suponer (supongo)	to suppose
temer	to fear
tener (tengo) miedo	to be afraid
tener (tengo) prisa	to be in a hurry
tener (tengo) que (hacer)	to have to (do)
tener (tengo) sueño	to be sleepy

tener (tengo) vergüenza	to be ashamed
tener que (+ *inf*)	to have to, must
tengo que tomar	I have to take
tutear(se)	to address as 'tú'
verse (me veo)	to meet
visitar	to visit
volverse (me vuelvo)	to turn round; to go back

c Adjetivos útiles   Useful adjectives

acostumbrado/a	usual, habitual
adecuado/a	suitable
afortunado/a	lucky, fortunate
amplio/a	spacious, wide
ancho/a	wide
anterior	anterior; previous
anticuado/a	old-fashioned
bajo	small; low
bueno	good
conocido/a	known; well-known
continuo/a	continuous
correspondiente	corresponding; equivalent
desafortunado/a	unlucky
desconocido/a	unknown
diferente (de)	different (from)
dispuesto/a	arranged, disposed
educado/a	well-mannered, polite
enorme	huge
estrecho/a	narrow
extraordinario/a	extraordinary; special
fantástico/a	fantastic; unreal
grande	big, large
gratuito/a	free
hondo/a	deep
idiota	stupid
inevitable	inevitable
inferior	inferior, lower
inmediato/a	immediate; prompt
lindo/a	pretty
magnífico/a	splendid, wonderful, superb
maleducado/a	ill-mannered; rude
máximo/a	maximum
medio/a	half

mínimo/a	minimum
mojado/a	wet
necesario/a	necessary
opuesto/a	opposite
parecido/a	similar to
pequeño/a	small
perfecto/a	perfect
preocupado/a	worried
privado/a	private; personal
profundo/a	deep
propio/a	own, of one's own
próximo/a	near, close
reciente	recent
semejante	similar
siguiente	following; next
sorprendente	surprising
suave	smooth
terrible	terrible
urgente	urgent
válido/a	valid

d Los colores — Colours

amarillo/a	yellow
azul	blue
azul marino	navy blue
beige	beige
blanco/a	white
celeste	sky blue
gris	grey
malva	mauve
marrón	brown
naranja	orange
negro/a	black
púrpura; purpúreo/a	purple
rojo/a	red
rosa	pink
verde	green
violeta	violet

claro/a	light
oscuro/a	dark
azul claro/oscuro	light/dark blue

Answers

Te toca. 1

1 quince 2 sesenta y tres 3 setenta y cinco 4 cien 5 cuatro mil 6 cuarenta 7 cincuenta y seis 8 ciento sesenta 9 sesenta y seis 10 ocho mil

Te toca. 2

los miércoles los sábados	voy	al cine a la piscina a la discoteca de compras
	salgo	con mis amigos/as de compras
	me gusta	jugar al tenis
	suelo ir	al cine a la piscina a la discoteca de compras
el lunes mañana pasado mañana la semana que viene	saldré	con mis amigos/as de compras
	me gustaría	jugar al tenis
	iré	al cine a la piscina a la discoteca de compras
	voy a ir	al cine a la piscina a la discoteca de compras
	voy	a ir al zoo
el domingo pasado hace un mes ayer anoche el lunes	salí	con mis amigos/as de compras
	jugué	al baloncesto con mi ordenador
	fui	al cine à la piscina a la discoteca de compras
	compré	una bicicleta

Te toca. 3
a El día más largo del año es en junio.
b Navidad es en diciembre.
c El Día de Reyes es en enero.
d El día de San Valentín tiene lugar en febrero.
e La Nochevieja es el 31 de diciembre.
f La Nochebuena es el 24 de diciembre.
g El Año Nuevo es en enero.
h El día de la Hispanidad (12/10) es en octubre.
i El día de Todos los Santos (1/11) es en noviembre.

Te toca. 4
Son...
1 las doce 2 las diez menos cuarto 3 las ocho y veinte 4 las diez y media 5 las seis y cuarto 6 las siete 7 las cinco menos veinticinco 8 las doce menos diez 9 las tres y veinticinco 10 las doce y cinco

Te toca. 5
Open activity.

Te toca. 6
1 Me ducho/me lavo. 2 Me lavo los dientes. 3 Me visto. 4 Me peino. 5 Bajo las escalera. 6 Desayuno. 7 Meto los libros en la cartera. 8 Salgo de casa.

Te toca. 7
1c 2e 3g 4f 5a 6b 7d

Te toca. 8
Open activity.

Te toca. 9
1 Al llegar al colegio voy (a mi clase).
2 La primera clase empieza (a las nueve).
3 Cada clase dura (35 minutos).
4 Antes del recreo tenemos (matemáticas).
5 Durante el recreo (tomo un café).
6 Almuerzo (a la una menos cuarto).
7 Después de comer tengo (gimnasia).

8 Las clases terminan (a las cuatro).
9 Para volver a casa, cojo (el autobús).

Te toca. 10
Open activity.

Te toca. 11
Horizontal: helado, postre, entremeses, vino
Vertical: ensalada, agua, huevos
Diagonal: flan

Te toca. 12
1 cerveza - es la única bebida alcohólica.
2 botella - los otros artículos son los cubiertos.
3 plato - las otras cosas sirven para contener líquidos.
4 ajo - las otras palabras se refieren a tipos de sopa.
5 limón - las otras palabras se utilizan para describir el café.
6 rojo - los otros adjetivos describen tipos de vino.
7 gordo - la única palabra que no se refiere a un sabor.
8 cigarrillo - no se pone en la comida.
9 mostaza - no es un tipo de carne.
10 morcilla - las otras palabras describen formas de servir la carne o el pescado.

Te toca. 13
La chica: 1 la frente 2 la nariz 3 la boca 4 la barbilla 5 el hombro 6 la cintura 7 la mano 8 la espinilla 9 el pie
El chico: 1 la cabeza 2 el oído/la oreja 3 la cara 4 el cuello/la garganta 5 el pecho 6 el brazo 7 el estómago 8 la rodilla 9 el tobillo

Te toca. 14
1g, 2f, 3b, 4d, 5j, 6e, 7i, 8a, 9c, 10h

Te toca. 15
Students fill in their own personal details or invent them.

Te toca. 16, 17, 18, 19
Open activities.

Te toca. 20
In order of appearance: el fútbol, el baloncesto, la natación, el tenis, el ciclismo, el golf, el hockey, la gimnasia

Te toca. 21
Horizontal: canción, concierto, violín, batería, bajo, clarinete, castañuelas
Vertical: ópera, trompeta, guitarra, flauta, teclado, oboe, cantante
Diagonal: contrabajo

Te toca. 22
Open activity.

Te toca. 23
Horizontal: alojamiento, jabón, pensión, maletas, pasaporte, equipaje
Vertical: albergue, individual, baño, camping, ducha
Diagonal: cama, hotel

Te toca. 24
1 Una tienda de campaña. 2 Botas. 3 El saco de dormir. 4 La mochila. 5 Cerillas. 6 Un abrelatas. 7 El botiquín. 8 Una linterna.

Te toca. 25
Open activity.

Te toca. 26
1 una jirafa 2 un mono 3 un pingüino 4 una culebra 5 un elefante 6 un cocodrilo 7 una tortuga (gigante)

Te toca. 27
Mapa 1: En Escocia, hay nieve. En Irlanda llueve. En el noroeste de Inglaterra hace frío. En el noreste de Inglaterra hace viento. En el este de Inglaterra llueve. En el sur hay niebla. Mapa 2: En el noreste de España hace sol. En el noroeste hay tormentas. En el centro de España está nublado. En el suroeste llueve y en el sureste hace mucho calor.

Te toca. 28
1 Compré una barra de pan en la panadería. 2 Compré un pollo en la carnicería. 3 Compré pescado en la pescadería. 4 Compré unas aspirinas en la farmacia. 5 Compré una coliflor en la verdulería. 6 Compré un plátano en la frutería. 7 Compré un libro en la librería. 8 Compré unos pasteles en la pastelería.

Te toca. 29
1 una bolsa de patatas fritas 2 un bote de mermelada 3 un paquete de galletas 4 una botella de vino 5 un tubo de pasta de dientes 6 un cartón de leche 7 una lata de anchoas 8 una caja de bombones

Te toca. 30
Horizontal: niki, cazadora, vestido, zapatos, calzoncillos, vaqueros, corbata
Vertical: camisa, guantes, polo, pantalón

Te toca. 31
1 un pantalón 2 unos zapatos 3 un vestido 4 una falda 5 una blusa 6 un jersei 7 una cazadora 8 una gorra

Te toca. 32
El hombre: Era un hombre bajo, calvo, moreno, con bigote y gafas. Llevaba un traje a rayas, la corbata de lunares y zapatos negros. Llevaba anillos en ambas manos.
La mujer: Era una mujer alta, con pelo rizado y rubio. Llevaba gafas de sol y pendientes de aros. Vestía una blusa blanca, una falda corta negra. Llevaba zapatos de tacón negros y un bolso pequeño blanco.

Te toca. 33
1 los limpiaparabrisas 2 el motor 3 los faros 4 el neumático 5 el parabrisas 6 el volante 7 el maletero 8 la puerta 9 el tubo de escape 10 la rueda

Te toca. 34
1e 2d 3c 4b 5a 6i 7g 8f

ANSWERS

Te toca. 35
Open activity.

Te toca. 36
Horizontal: salidas, llegada, procedente, recorrido, consigna, compartimiento, locomotora
Vertical: alta velocidad, andén, vagón
Diagonal: riel

Te toca. 37
1 el mecánico, la mecánica 2 el albañil 3 el traductor, la traductora 4 el fotógrafo, la fotógrafa 5 el peluquero, la peluquera 6 el camarero, la camarera 7 el bombero 8 el profesor, la profesora 9 el arquitecto, la arquitecta 10 el vendedor, la vendedora 11 el cirujano, la cirujana 12 el enfermero, la enfermera 13 el, la soldado 14 el, la dentista 15 el fontanero, la fontanera 16 el sastre

Te toca. 38
1 el ingeniero, la ingeniera 2 el taxista, la taxista 3 el/la electricista 4 el/la juez 5 el fotógrafo, la fotógrafa 6 el/la periodista 7 el/la policía 8 el enfermero, la enfermera 9 el arquitecto, la arquitecta 10 el/la recepcionista 11 el peluquero, la peluquera 12 el/la modelo 13 la profesora 14 la abogada

Te toca. 39
1 la pantalla 2 la impresora 3 el disco compacto 4 el disquete 5 el teclado 6 el ratón 7 el disco duro 8 el monitor

Te toca. 40
Horizontal: Reino Unido, Gales, Bélgica, Italia, Méjico, Estados Unidos, España, Nueva Zelanda
Vertical: Francia, Irlanda, Chile, Escocia, Suiza, Japón

Te toca. 41
1 Irlanda 2 Sudamérica 3 Australia 4 Chipre